SAMUEL

*E*N ATTENDANT

*G*ODOT

Edited by

Germaine Brée

and

Eric Schoenfeld

THE MACMILLAN COMPANY, NEW YORK

FOREWORD

One of the more difficult problems confronting language teachers is the sharp drop in interest which occurs after the first few weeks of language learning. The indispensable drill patterns in the laboratory and the necessary classroom repetition of the elementary structures of the foreign language often exasperate students, who become bored with the meaninglessness of the material they are asked to memorize. A great many efforts are being made to solve this very serious problem. The use of fabricated and stereotyped phrases, exercises, and texts cannot inspire in the more intelligent of our students anything but a perfunctory interest. Something more vital must be offered them as an incentive in acquiring real proficiency in the foreign language and going beyond the memorizing of purely verbal "patterns," necessary as a foundation. Real communication, that is, a real sense of the language, starts just beyond these.

Fortunately a good many of the better writers in France since the start of the midcentury offer us just what we need. Samuel Beckett is one of these. *En attendant Godot* uses naturally idiomatic everyday speech patterns of French which are repeated over and over again throughout the play, either word for word or with slight variations.

The dialogue itself should offer no great difficulty to students by the time they have had one intensive semester of language work, particularly if they have been well grounded in current speech patterns in classroom and laboratory. It offers endless possibilities for imaginative exercises, either conversational or written. It can be used in a number of ways and at many levels from the elementary to the literary, and for simple conversational classes or for advanced discussions.

But, besides, *En attendant Godot* is probably the single most important play of the fifties. It is a major dramatic work, one of the first to have achieved an almost worldwide success in a very short span of time. Translated into more than twenty languages, it had reached more than a million spectators the world over within five years of its Paris *première*. This amounts to a significant cultural event. It is rare that a text can fulfill the double function of offering those simple patterns needed in the first stages of language learning while acquainting students with a challenging work that is not out of place in a liberal arts curriculum. The brief introduction in English attempts to orient the students rapidly so that they will not be disconcerted by the unusual form of the play and can immediately come to grips with the dialogue itself.

The text of the play is given *in extenso*. There is nothing in it, we feel, that need embarrass either student or teacher. The notes, along the way, have been kept to the minimum needed for a quick grasp of what is going on in the play. After the first act, the students will probably hardly need to consult the vocabulary. It should give them considerable satisfaction to be reading without props. The questions raised in their minds should by then be questions of significance and interpretation, as when they read English. When this happens, a major stage in language learning has been spanned. The sooner this takes place, the better. Exercises are then seen in proper perspective, as tools and not as an end in themselves, and the whole process of learning is accelerated and enriched.

G.B./E.S.

BIOGRAPHICAL SKETCH

Samuel Beckett 1906–

1906 Né à Dublin, Irlande

1927 B.A. (Spécialisation en français et italien) Trinity College, Dublin

1928–1930 Lecteur d'anglais à l'Ecole normale supérieure, Paris; "Dante . . . Bruno . . . Joyce," essay in *Our Exagmination round his Factification for Incamination of Work in Progress* (essais sur Joyce, 1929)

1930 *Whoroscope* (poèmes)

1931 M.A. Trinity College; *Proust* (essai)

1931–1932 Lecteur de français à Trinity College

1932–1936 Séjours à Londres, en France et en Allemagne; *More Pricks Than Kicks* (contes, 1934); *Echo's Bones* (poèmes, 1935)

1937 S'installe à Paris. Lecteur d'anglais à l'Ecole normale supérieure.

1938 *Murphy* (roman; traduction française, 1947)

1940–1942 Avec son ami Alfred Péron travaille dans la Résistance; Péron est arrêté et disparaît

1942–1945 Pour échapper à la Gestapo se cache à Roussillon dans le Vaucluse

1945 Retour à Paris

1951 *Molloy* (roman; version anglaise, 1955)

1952 *Malone Meurt* (roman; tr., *Malone Dies*, 1956); *En attendant Godot* (pièce; tr., *Waiting for Godot*, 1953); January 5, 1953: première représentation de *En attendant Godot*

1953 *Watt* (roman); *L'Innommable* (roman; tr., *The Unnamable*, 1958)

1955 *Nouvelles et Textes pour rien*

1957 *Fin de partie* suivi de *Acte sans Parole* (pièce et mime; tr., *Endgame* followed by *Act without words*, 1958); *All that fall* (pièce radiophonique; tr., *Tous ceux qui tombent*)

1958 *Krapp's Last Tape* (pièce); *La dernière bande* suivi de *Cendres*, *Gedichte* (poèmes; comprend *Echo's Bones* et 18 poèmes en français, 1960)

1960 *Embers* (pièce radiophonique)

1961 *Happy Days* (pièce; tr., *Jours heureux*); *Comment c'est* (roman)

SPECIAL VOCABULARY

I

les acteurs: the actors
la coulisse: the wing
le décor: the scenery
le directeur: the director
l'éclairage: the lighting
le fond de la scène: the back of the stage
la fosse: the Orchestra
le lever du rideau: the rise of the curtain
la mise en scène: the staging
le plateau: the stage floor
le public: the audience
la rampe: the footlights
la scène: the stage
les spectateurs: the audience
la toile de fond: the backdrop

II

l'action: the action
la distribution: the cast
l'intrigue: the plot
le jeu des acteurs: the manner of acting
jouer: to act
les personnages: the characters
la pièce: the play
le rôle: the part

TABLE OF CONTENTS

Foreword   iii

Biographical Sketch   v

Special Vocabulary   vii

Introduction   1

Text   8

Vocabulary   113

INTRODUCTION

On January 5, 1953, when the curtain rose on *En atten-dant Godot,* a first play by an unknown playwright, Samuel Beckett, the spectators in the small avant-garde Théâtre de Babylone reacted diversely and sometimes violently. On a bare stage adorned with a single small tree, two down-at-the-heel bums in bowler hats, old clothes, and badly fitting boots, exchanged snatches of incongruous conversation, ate carrots, watched a couple of strange clownish intruders called Pozzo and Lucky, quarreled, fell down or struggled back to their feet, all the while "waiting" for someone named Godot who never came. The play had no plot, no subtle characterization, no problem neatly posed and worked out logically to its *dénouement.* The second act seemed only to repeat the first. Yet a playwright as estab-lished and canny as Jean Anouilh hailed the production as the most important dramatic event on the French stage since Pirandello was first performed in Paris in 1923. Within a very short time, *En attendant Godot* had been translated into some twenty languages and played around the world. It had a long and successful run in London in 1955, and in 1956, with Bert Lahr as one of the two bums,

1

was one of the hits of the New York season. It is now one of the plays in the Comédie Française repertory.

Discussion has never flagged over Beckett's play, so spectacularly successful and yet "so enigmatic, so exasperating, so complex and so uncompromising in its refusal to conform to any of the accepted ideas of dramatic construction."[1]

A unique play, *En attendant Godot* is not an isolated accidental phenomenon. Besides Beckett's own subsequent plays—*Fin de partie* is the best-known of these—others just as startling were being produced and drawing ever-wider audiences. By now, Ionesco and Genet are familiar names in the United States; Adamov, Arrabal, Tardieu, Vauthier, though not so successful, are frequently mentioned with them. In off-Broadway theaters, American and English playwrights—Albee, Pinter, and Simpson—have also been experimenting with new themes and techniques. In his excellent book on the modern theater, Martin Esslin grouped them all under the heading *The Theatre of the Absurd*, a label the Cherry Lane Theater in New York adopted when, in 1962, it presented a series of plays by the new dramatists.

It was Albert Camus who, in *The Myth of Sisyphus* (1942), his essay on the absurd, discussed in simple terms themes that had long been developing in Western thought, and gave the word *absurd* certain new connotations. He defined as "absurd" the situation of modern man, who can no longer believe in a providential God to give both man and the universe a meaning. Man's aspirations to understanding, happiness and immortality are "absurd" in a universe which negates them. There are no values imposed by a supernatural power outside man, no crimes, rewards, or punishment meted out in an afterlife. The various brands of existentialism which colored postwar European thought all stressed the theme of man's ethical freedom and hence of his responsibility for what he does with him-

[1] Esslin, Martin, *The Theatre of the Absurd* (New York, Doubleday, 1961), p. 10.

self. Different as are the "new" playwrights, they all to some extent adopt this point of view. The conflicts they project on stage, the techniques they use to communicate them, differ considerably from the traditional conflicts and "well-made" plays to which the theater-going public is accustomed. *En attendant Godot* is a good introduction to this lively trend in Western drama which transcends all national boundaries. Samuel Beckett, playwright, novelist, and, though secondarily, a poet, is himself an Irishman and a friend of James Joyce's who settled in Paris in 1937. He writes both in English and in French, translating his own work; he is also quite at home in Italian and German. This probably explains why, like Ionesco, a Romanian, or Adamov, of Russo-Armenian origin, he found it easy to break with certain traditions of the French stage.

The French stage, in the fifties, was showing no signs of deterioration. It could, in fact, hardly have been more brilliant. The gifted group of producers who had worked devotedly during the "entre-deux-guerres" toward the renovation of the French stage—from Jacques Copeau to Roger Blin, who produced *En attendant Godot*—had made of Paris the center of the theatrical world. "As a powerhouse of the modern movement," Esslin remarks, "Paris is an international rather than a merely French center. . . . There is no other place in the world where so many first-rate men of the theatre can be found who are adventurous and intelligent enough to champion the experimental work of new playwrights and to help them acquire a mastery of the stage."[2] The fifties saw the first performances of Cocteau's last play, *Bacchus* (1951); Montherlant's *Malatesta* (1950) and *Port-Royal* (1954), among others; a whole series of Anouilh plays: *La Valse des toréadors* (1952), *L'Alouette* (1953), *Becket* (1959), to cite only the best known; Sartre's *Le Diable et le bon Dieu* (1951); *Kean* (1953); *Nekrassov* (1955); *Les Séquestrés d'Altona* (1959); Camus's adapta-

[2] *The Theatre of the Absurd*, p. xxii.

tions, *Requiem pour une nonne* (1956); *Les Possédés* (1959). With new themes but only minor technical innovations, these plays respected the familiar conventions of the Western stage.[3]

In sharp contrast, Beckett jettisoned them all, turning to other forms of spectacle just as old and far more universal. He borrowed the techniques of mime, music hall, movies, circus, and vaudeville. *En attendant Godot* will not seem strange to American students if they connect it with those forms of spectacle rather than with the traditional stage.

Vladimir ("Didi"), tall, thin, sombre, intense, always involved in abstruse speculations; Estragon ("Gogo"), round and heartily responsive to the physiological in life are as ill-assorted, inseparable, and devoted a couple of clowns as Laurel and Hardy. As they themselves vaguely suspect, they have been around for a long, long time; they and an innumerable assembly of "Didis" and "Gogos"— clowns, vaudeville couples, Marx brothers, Charlie Chaplins, and so on. With their bowler hats and their flat feet they mimic the traditional gestures and attitudes of circus clowns: they stand hunched up, shoulder to shoulder, arms around each other, back to the audience; or one of them stands anxiously peering into the wings where the other has disappeared; they fall over each other, hold each other up, love each other, quarrel over trifles, make up—all with concentrated absorption. The pratfalls, the pants that unexpectedly come off, the shoes that don't fit, the physiological jokes—Didi's bladder, Gogo's body odor—the off-color puns, are the stock-in-trade of the clown. Clown and mime[4] are not very far removed. Beckett's play constantly relies on mime: the mechanical movements of the char-

[3] For the best over-all discussion of the modern French theater see *Modern French Theater* by Jacques Guicharnaud (New Haven, Yale, 1961).

[4] The mime was resurgent in France in the twenties, as in New York now. Jean-Louis Barrault and Marcel Marceau were the more famous of the mimes who appeared in Paris in the thirties.

acters on stage and in relation to each other; the rapid exchange of hats; the twice-projected suicide by hanging, a classic of the mime—all keep the characters on stage in a controlled, continuous movement varying in tempo throughout the play. As one reads, one must imagine the patterns of gesture and motion, the repetitions and variations from which the play derives its farcelike appeal. In more articulate moments too, Didi and Gogo repeatedly indulge in the kind of fast, cumulative patter characteristic of vaudeville comedians. These exchanges, quite funny in themselves, also usually occur with a change of mood or rhythm, a new theme or twist in Didi's and Gogo's situation. But Beckett's play is not just a succession of gags. *"Waiting for Godot* reflects in its dusty but accurate mirror the No drama (tree, journey, concatenated rituals), Greek theater (two actors, messengers, expectation of a *deus ex machina*), and 'Commedia dell'arte' (unflagging improvisation round a theme)," remarks Hugh Kenner.[5] It is a play with unity and purpose. With its bare setting, clownlike characters, recurrent themes and patterns, it has a significance far beyond the grasp of Didi and Gogo.

With constant variation in detail, the two acts of the play repeat each other: Didi and Gogo meet beside a tree on a roadside one evening to wait for Godot; they dimly remember having done this before. Something occurs which causes them great excitement at first, the passage of a Lucifer-like character Pozzo, owner of the whole area, accompanied by his miserable slave, Lucky, tied to his master by a long piece of rope. A great comedian, Pozzo puts up quite a show, and then brutally orders Lucky to entertain the tramps. Lucky sings, dances, thinks to order. After a great deal of stage business, during which Pozzo steadily loses stature, the two disappear. Night comes and a young messenger appears: Godot, he says, will not come that day. Perhaps tomorrow. The second act repeats the first. But

[5] Kenner, Hugh, *Samuel Beckett: A Critical Study* (New York, Grove, 1961).

the tree has leaves on it; Pozzo is now blind and as decrepit as Lucky; Didi, by chance, gets a hat that fits him better than the last, and Gogo a better pair of old boots. At the end of it all, the messenger comes again with the same message. In the meantime, as they wait, the clowns busy themselves in all kinds of manner: they eat; they feel pain; they communicate with each other; they speculate; they remember dimly a past they once had; they talk; they quarrel; they separate; they come back and start again—just like all the rest of us. They are in fact miming our daily lives.

It is *we* who are onstage in the form of Didi and Gogo. How then does Beckett see us? What does the spectacle convey? Why has it been called a tragic farce? How can we explain Pozzo and Lucky, the master-slave couple? And their relation to Didi and Gogo? And the relation of Didi and Gogo to each other? And what Beckett designates by Godot?[6] These are questions each one will answer for himself, as well as many others raised along the way: Do Gogo and Didi change? Does their situation change? What is the meaning of the messenger's description of Godot? Of Vladimir's message to Godot? Are Didi and Gogo merely grotesque? What different registers of language does Beckett use? Why? Should we take seriously the Godot with the white beard who, unaccountably, is good to the goatherd and beats the shepherd? The text is easy to read, but not perhaps easy to understand.

En attendant Godot was written between 1947 and 1949, during the years of great creative activity for Beckett which followed World War II. Before the war he had written little, a few poems, several essays and short stories,

[6] Many suggestions have been made to explain the choice of the name *Godot*. Perhaps, Esslin suggests, it is a reference to a play by Balzac (*Mercadet*) in which everyone's salvation depends on the return of a certain Godeau. Perhaps, suggests Hugh Kenner, Beckett remembered an indefatigable cyclist, Godeau, who could never be deterred from entering races, although he always ended among the last. And there is Beckett's warning, "If by Godot I had meant God, I would have said God."

and one novel (*Murphy*), all in English. From 1942 until 1944, when he was hiding from the *gestapo* in the village of Roussillon, in Vaucluse, he wrote a second novel (*Watt*) in English. From 1945 to 1950 he wrote, in French, what he considers to be the solid core of his work: besides *Godot*, a trilogy of novels that were slowly to attract more and more readers, *Molloy, Malone Meurt*, and *l'Innommable*. They were later followed by the strange novel *Comment c'est* (1961). Beckett's fictional world is not an easy one to explore, nor is it necessary to read the novels to understand the play. But Didi and Gogo, Pozzo and Lucky all have their counterparts in the derelicts that people the novels, tramps who start off on quests that lead nowhere, only to land in ditches; or end bedridden in bare narrow rooms; or wait for death, cooped up in a narrow jar. Whatever their condition, they never stop talking, in Lucky-like parodies of rational discourse, flights of Didi-like seriousness, Pozzo-type bragging, earthly comments reminiscent of Gogo. Besides being, as someone suggested, "all of humanity," Vladimir, Estragon, Lucky, and Pozzo are perhaps too the different voices with which, in different moods and moments, we speak of our "human destiny."

« En attendant Godot » a été créé le 5 janvier 1953 au
*Théâtre Babylone, dans une mise en scène de Roger Blin
et avec la distribution suivante:*

Estragon	Pierre LATOUR.
Vladimir	Lucien RAIMBOURG.
Lucky	Jean MARTIN.
Pozzo	Roger BLIN.
Un jeune garçon ...	Serge LECOINTE.

ACTE PREMIER

Route à la campagne, avec arbre.

Soir.

Estragon, assis par terre, essaie d'enlever sa chaussure.
Il s'y acharne des deux mains, en ahanant.[1] *Il s'arrête, à*
bout de forces, se repose en haletant, recommence. Même [5]
jeu.[2]

Entre Vladimir.

ESTRAGON (*renonçant à nouveau*).—Rien à faire.
VLADIMIR (*s'approchant à petits pas raides, les jambes*
écartées).[3]—Je commence à le croire. (*Il s'immobilise.*) J'ai [10]
longtemps résisté à cette pensée, en me disant, Vladimir,
sois raisonnable. Tu n'as pas encore tout essayé. Et je
reprenais le combat. (*Il se recueille, songeant au combat. A*
Estragon.)—Alors, te revoilà, toi.

1. **en ahanant**   panting.
2. **Même jeu**   As before.
3. **les jambes écartées**   *Vladimir suffers from a very painful afflic-*
tion of the prostate which accounts for his unusual gait.

ESTRAGON.—Tu crois?

VLADIMIR.—Je suis content de te revoir. Je te croyais parti pour toujours.

ESTRAGON.—Moi aussi.

VLADIMIR.—Que faire pour fêter cette réunion? (*Il* 5 *réfléchit.*) Lève-toi que[4] je t'embrasse. (*Il tend la main à Estragon.*)

ESTRAGON (*avec irritation*).—Tout à l'heure, tout à l'heure.

Silence. 10

VLADIMIR (*froissé, froidement*).—Peut-on savoir où Monsieur a passé la nuit?

ESTRAGON.—Dans un fossé.

VLADIMIR (*épaté*).—Un fossé! Où ça?

ESTRAGON (*sans geste*).—Par là. 15

VLADIMIR.—Et on ne t'a pas battu?

ESTRAGON.—Si . . . Pas trop.

VLADIMIR.—Toujours les mêmes?

ESTRAGON.—Les mêmes? Je ne sais pas.

Silence. 20

VLADIMIR.—Quand j'y pense . . . depuis le temps . . . je me demande . . . ce que tu serais devenu . . . sans moi . . . (*Avec décision.*) Tu ne serais plus qu'un petit tas d'ossements à l'heure qu'il est, pas d'erreur.[5]

ESTRAGON (*piqué au vif*).—Et après? 25

VLADIMIR (*accablé*).—C'est trop pour un seul homme. (*Un temps. Avec vivacité.*) D'un autre côté, à quoi bon se décourager à présent, voilà ce que je me dis. Il fallait y penser il y a une éternité, vers 1900.

ESTRAGON.—Assez. Aide-moi à enlever cette saloperie.[6] 30

VLADIMIR.—La main dans la main on se serait jeté en bas de la Tour Eiffel, parmi les premiers. On portait beau

---

4. que = pour que.

5. **Tu ne . . . d'erreur** By now you'd be nothing more than a little heap of bones, no doubt about it.

6. **saloperie** mess (*not for polite company*).

alors.[7] Maintenant il est trop tard. On ne nous laisserait même pas monter. (*Estragon s'acharne sur sa chaussure.*) Qu'est-ce que tu fais?

ESTRAGON.—Je me déchausse. Ça ne t'est jamais arrivé, a toi? [5]

VLADIMIR.—Depuis le temps que je te dis qu'il faut les enlever tous les jours. Tu ferais mieux de m'écouter.

ESTRAGON (*faiblement*).—Aide-moi!

VLADIMIR.—Tu as mal?

ESTRAGON.—Mal! Il me demande si j'ai mal! [10]

VLADIMIR (*avec emportement*).—Il n'y a jamais que toi qui souffres! Moi je ne compte pas. Je voudrais pourtant te voir à ma place. Tu m'en dirais des nouvelles.[8]

ESTRAGON.—Tu as eu mal?

VLADIMIR.—Mal! Il me demande si j'ai eu mal! [15]

ESTRAGON (*pointant l'index*).—Ce n'est pas une raison pour ne pas te boutonner.[9]

VLADIMIR (*se penchant*).—C'est vrai. (*Il se boutonne.*) Pas de laisser-aller dans les petites choses.

ESTRAGON.—Qu'est-ce que tu veux que je te dise, tu [20] attends toujours le dernier moment.

VLADIMIR (*rêveusement*).—Le dernier moment . . . (*Il médite.*) C'est long, mais ce sera bon. Qui disait ça?

ESTRAGON.—Tu ne veux pas m'aider?

VLADIMIR.—Des fois je me dis que ça[10] vient quand [25] même. Alors je me sens tout drôle. (*Il ôte son chapeau, regarde dedans, y promène sa main, le secoue, le remet.*) Comment dire? Soulagé et en même temps . . . (*il cherche*) . . . épouvanté. (*Avec emphase.*) E-POU-VAN-TÉ. (*Il ôte à nouveau son chapeau, regarde dedans.*) Ça alors! [30] (*Il tape dessus comme pour en faire tomber quelque chose, regarde à nouveau dedans, le remet.*) Enfin . . .

7. **On portait beau alors** We looked well then.
8. **Tu . . . nouvelles!** I'd like to hear what you'd say!
9. **boutonner** *Beckett exploits Vladimir's malady for humorous effect.*
10. **des fois = parfois; ça:** le dernier moment.

(Estragon, au prix d'un suprême effort, parvient à enlever sa chaussure. Il regarde dedans, y promène sa main, la retourne, la secoue, cherche par terre s'il n'en est pas tombé quelque chose, ne trouve rien, passe sa main à nouveau dans sa chaussure, les yeux vagues.)—Alors? 5

ESTRAGON.—Rien.

VLADIMIR.—Fais voir.

ESTRAGON.—Il n'y a rien à voir.

VLADIMIR.—Essaie de la remettre.

ESTRAGON *(ayant examiné son pied).*—Je vais le laisser 10 respirer un peu.

VLADIMIR.—Voilà l'homme tout entier, s'en prenant à sa chaussure[11] alors que c'est son pied le coupable. *(Il enlève encore une fois son chapeau, regarde dedans, y passe la main, le secoue, tape dessus, souffle dedans, le remet.)* 15 Ça devient inquiétant. *(Silence. Estragon agite son pied, en faisant jouer les orteils, afin que l'air y circule mieux.)* Un des larrons[12] fut sauvé. *(Un temps.)* C'est un pourcentage honnête. *(Un temps.)* Gogo . . .

ESTRAGON.—Quoi? 20

VLADIMIR.—Si on se repentait?[13]

ESTRAGON.—De quoi?

VLADIMIR.—Eh bien . . . *(Il cherche.)* On n'aurait pas besoin d'entrer dans les détails.

ESTRAGON.—D'être né? 25

Vladimir part d'un bon rire qu'il réprime aussitôt, en portant sa main au pubis, le visage crispé.

VLADIMIR.—On n'ose même plus rire.

ESTRAGON.—Tu parles d'une privation.[14]

VLADIMIR.—Seulement sourire. *(Son visage se fend dans* 30 *un sourire maximum qui se fige, dure un bon moment, puis subitement s'éteint.)* Ce n'est pas la même chose. Enfin . . . *(Un temps.)* Gogo . . .

11. **s'en prenant à sa chaussure** blaming his boots.
12. **un des larrons** *one of the two thieves crucified with Jesus.*
13. **Si on se repentait** Suppose we repented?
14. **Tu parles d'un privation** What a privation! *(ironic)*

Estragon (*agacé*).—Qu'est-ce qu'il y a?
Vladimir.—Tu as lu la Bible?
Estragon.—La Bible . . . (*Il réfléchit.*) J'ai dû y jeter un coup d'œil.
Vladimir (*étonné*).—A l'école sans Dieu?[15]
Estragon.—Sais pas si elle était sans ou avec.
Vladimir.—Tu dois confondre avec la Roquette.[16]
Estragon.—Possible. Je me rappelle les cartes de la Terre-Sainte.[17] En couleur. Très jolies. La Mer-Morte était bleu pâle. J'avais soif rien qu'en la regardant. Je me disais, c'est là que nous irons passer notre lune de miel. Nous nagerons. Nous serons heureux.
Vladimir.—Tu aurais dû être poète.
Estragon.—Je l'ai été. (*Geste vers ses haillons.*) Ça ne se voit pas?

Silence.

Vladimir.—Qu'est-ce que je disais . . . Comment va ton pied?
Estragon.—Il enfle.
Vladimir.—Ah oui, j'y suis,[18] cette histoire de larrons. Tu t'en souviens?
Estragon.—Non.
Vladimir.—Tu veux que je te la raconte?
Estragon.—Non.
Vladimir.—Ça passera le temps. (*Un temps.*) C'étaient deux voleurs, crucifiés en même temps que le Sauveur. On . . .
Estragon.—Le quoi?[19]
Vladimir.—Le Sauveur. Deux voleurs. On dit que l'un fut sauvé et l'autre . . . (*il cherche le contraire de sauvé*) . . . damné.
Estragon.—Sauvé de quoi?

15. l'école sans Dieu *Public schools in France offer no religious instruction.*
16. la Roquette *a Paris prison (1830–1900).*
17. la Terre-Sainte *the Holy Land.*
18. J'y suis *I've got it.*
19. Le quoi? *The what?*

VLADIMIR.—De l'enfer.

ESTRAGON.—Je m'en vais. (*Il ne bouge pas.*)

VLADIMIR.—Et cependant . . . (*Un temps.*) Comment se fait-il que . . . Je ne t'ennuie pas, j'espère.

ESTRAGON.—Je n'écoute pas.   5

VLADIMIR.—Comment se fait-il que des quatre évangélistes[20] un seul présente les faits de cette façon? Ils étaient cependant là tous les quatre—enfin, pas loin. Et un seul parle d'un larron de sauvé. (*Un temps.*) Voyons, Gogo, il faut me renvoyer la balle de temps en temps.[21]   10

ESTRAGON.—J'écoute.

VLADIMIR.—Un sur quatre. Des trois autres, deux n'en parlent pas du tout et le troisième dit qu'ils l'ont engueulé[22] tous les deux.

ESTRAGON.—Qui?   15

VLADIMIR.—Comment?

ESTRAGON.—Je ne comprends rien . . . (*Un temps.*) Engueulé qui?

VLADIMIR.—Le Sauveur.

ESTRAGON.—Pourquoi?   20

VLADIMIR.—Parce qu'il n'a pas voulu les sauver.

ESTRAGON.—De l'enfer?

VLADIMIR.—Mais non, voyons! De la mort.

ESTRAGON.—Et alors?

VLADIMIR.—Alors ils ont dû être damnés tous les deux.   25

ESTRAGON.—Et après?

VLADIMIR.—Mais l'autre dit qu'il y en a eu un de sauvé.

ESTRAGON.—Eh bien? Ils ne sont pas d'accord, un point c'est tout.[23]

VLADIMIR.—Ils étaient là tous les quatre. Et un seul   30

---

20. **quatre évangélistes** *the four Evangelists—Matthew, Mark, Luke, and John. Only Luke relates that one of the thieves crucified with Christ was promised salvation (Luke 23:43).*

21. **il faut . . . temps** play along, won't you?

22. **engueulé** bawled out. (*According to Matthew 27:44 both thieves reviled Christ.*)

23. **un point, c'est tout** and that's all there is to it.

parle d'un larron de sauvé. Pourquoi le croire plutôt que les autres?

ESTRAGON.—Qui le croit?

VLADIMIR.—Mais tout le monde. On ne connaît que cette version-là.   5

ESTRAGON.—Les gens sont des cons.[24]

Il se lève péniblement, va en boitillant vers la coulisse gauche,[25] s'arrête, regarde au loin, la main en écran devant[26] les yeux, se retourne, va vers la coulisse droite, regarde au loin. Vladimir le suit des yeux, puis va ramasser [10] *la chaussure, regarde dedans, la lâche précipitamment.*

VLADIMIR.—Pah! (*Il crache par terre.*)

Estragon revient au centre de la scène, regarde vers le fond.

ESTRAGON.—Endroit délicieux. (*Il se retourne, avance* [15] *jusqu'à la rampe, regarde vers le public.*) Aspects riants. (*Il se tourne vers Vladimir.*) Allons-nous-en.

VLADIMIR.—On ne peut pas.

ESTRAGON.—Pourquoi?

VLADIMIR.—On attend Godot.   20

ESTRAGON.—C'est vrai. (*Un temps.*) Tu es sûr que c'est ici?

VLADIMIR.—Quoi?

ESTRAGON.—Qu'il faut attendre.

VLADIMIR.—Il a dit devant l'arbre. (*Ils regardent* [25] *l'arbre.*) Tu en vois d'autres?

ESTRAGON.—Qu'est-ce que c'est?

VLADIMIR.—On dirait un saule.

ESTRAGON.—Où sont les feuilles?

VLADIMIR.—Il doit être mort.   30

ESTRAGON.—Finis les pleurs.[27]

24. **Les gens sont des cons** People are asses (*not for polite company*).
25. **va en . . . gauche** goes limping to extreme left of stage.
26. **en écran devant** screening.
27. **Finis les pleurs** Play on **saule** "pleureur" ["weeping" willow]; *inversion:* **les pleurs sont finis.** (*This is the first of many examples of the vaudeville-type of fast dialogue, piling catch-phrases one on top of the other.*)

VLADIMIR.—A moins que ce ne soit pas la saison.

ESTRAGON.—Ce ne serait pas plutôt un arbrisseau?

VLADIMIR.—Un arbuste.

ESTRAGON.—Un arbrisseau.

VLADIMIR.—Un—(*Il se reprend*). Qu'est-ce que tu veux [5] insinuer? Qu'on s'est trompé d'endroit?

ESTRAGON.—Il devrait être là.

VLADIMIR.—Il n'a pas dit ferme[28] qu'il viendrait.

ESTRAGON.—Et s'il ne vient pas?

VLADIMIR.—Nous reviendrons demain. [10]

ESTRAGON.—Et puis après-demain.

VLADIMIR.—Peut-être.

ESTRAGON.—Et ainsi de suite.

VLADIMIR.—C'est-à-dire . . .

ESTRAGON.—Jusqu'à ce qu'il vienne. [15]

VLADIMIR.—Tu es impitoyable.

ESTRAGON.—Nous sommes déjà venus hier.

VLADIMIR.—Ah non, là tu te goures.[29]

ESTRAGON.—Qu'est-ce que nous avons fait hier?

VLADIMIR.—Ce que nous avons fait hier? [20]

ESTRAGON.—Oui.

VLADIMIR.—Ma foi . . . (*Se fâchant.*) Pour jeter le doute, à toi le pompon.[30]

ESTRAGON.—Pour moi, nous étions ici.

VLADIMIR (*regard circulaire*).—L'endroit te semble fa- [25] milier?

ESTRAGON.—Je ne dis pas ça.

VLADIMIR.—Alors?

ESTRAGON.—Ça n'empêche pas.[31]

VLADIMIR.—Tout de même . . . cet arbre . . . (*se* [30] *tournant vers le public*) . . . cette tourbière.

ESTRAGON.—Tu es sûr que c'était ce soir?

28. **ferme** for sure.
29. **tu te goures** (*slang*) you are mistaken.
30. **Pour . . . pompon** When it comes to casting doubts, you're ahead of everybody.
31. **ça n'empêche pas** that makes no difference.

VLADIMIR.—Quoi?

ESTRAGON.—Qu'il fallait attendre?

VLADIMIR.—Il a dit samedi. (*Un temps.*) Il me semble.

ESTRAGON.—Après le turbin.

VLADIMIR.—J'ai dû le noter. (*Il fouille dans ses poches,* [5]
archibondées de saletés de toutes sortes.)

ESTRAGON.—Mais quel samedi? Et sommes-nous samedi?
Ne serait-on pas plutôt dimanche? Ou lundi? Ou vendredi?

VLADIMIR (*regardant avec affolement autour de lui,
comme si la date était inscrite dans le paysage*).—Ce n'est [10]
pas possible.

ESTRAGON.—Ou jeudi.

VLADIMIR.—Comment faire?

ESTRAGON.—S'il s'est dérangé pour rien hier soir, tu
penses bien[32] qu'il ne viendra pas aujourd'hui. [15]

VLADIMIR.—Mais tu dis que nous sommes venus hier
soir.

ESTRAGON.—Je peux me tromper. (*Un temps.*) Taisons-
nous un peu, tu veux?

VLADIMIR (*faiblement*).—Je veux bien. (*Estragon se* [20]
*rassied par terre. Vladimir arpente la scène avec agitation,
s'arrête de temps en temps pour scruter l'horizon. Estragon
s'endort. Vladimir s'arrête devant Estragon.*) Gogo . . .
(*Silence.*) Gogo . . . (*Silence.*) GOGO!

       Estragon se réveille en sursaut. [25]

ESTRAGON (*rendu à*[33] *toute l'horreur de sa situation*).—
Je dormais. (*Avec reproche.*) Pourquoi tu ne me laisses
jamais dormir?

VLADIMIR.—Je me sentais seul.

ESTRAGON.—J'ai fait un rêve. [30]

VLADIMIR.—Ne le raconte pas!

ESTRAGON.—Je rêvais que . . .

VLADIMIR.—NE LE RACONTE PAS!

ESTRAGON (*geste vers l'univers*).—Celui-ci te suffit? [35]

---

32. **tu penses bien** you can be sure.
33. **rendu à** restored to.

(*Silence.*) Tu n'es pas gentil, Didi. A qui veux-tu que je raconte mes cauchemars privés, sinon à toi?

VLADIMIR.—Qu'ils restent privés. Tu sais bien que je ne supporte pas ça.

ESTRAGON (*froidement*).—Il y a des moments où je me ⁵ demande si on ne ferait pas mieux de se quitter.

VLADIMIR.—Tu n'irais pas loin.

ESTRAGON.—Ce serait là, en effet, un grave inconvénient. (*Un temps.*) N'est-ce pas, Didi, que ce serait là un grave inconvénient? (*Un temps.*) Etant donné la beauté du ¹⁰ chemin. (*Un temps.*) Et la bonté des voyageurs. (*Un temps. Câlin.*) N'est-ce pas, Didi?

VLADIMIR.—Du calme.

ESTRAGON (*avec volupté*).—Calme . . . Calme . . . (*Rêveusement.*) Les Anglais disent câââm. Ce sont des gens ¹⁵ câââms. (*Un temps.*) Tu connais l'histoire de l'Anglais au bordel?

VLADIMIR.—Oui.

ESTRAGON.—Raconte-la-moi.

VLADIMIR.—Assez. ²⁰

ESTRAGON.—Un Anglais s'étant enivré se rend au bordel. La sous-maîtresse lui demande s'il désire une blonde, une brune ou une rousse. Continue.

VLADIMIR.—ASSEZ!

Vladimir sort. Estragon se lève et le suit jusqu'à la ²⁵ *limite de la scène. Mimique d'Estragon, analogue à celle qu'arrachent au spectateur les efforts du pugiliste. Vladimir revient, passe devant Estragon, traverse la scène, les yeux baissés. Estragon fait quelques pas vers lui, s'arrête.*

ESTRAGON (*avec douceur*).—Tu voulais me parler? ³⁰ (*Vladimir ne répond pas. Estragon fait un pas en avant.*) Tu avais quelque chose à me dire? (*Silence. Autre pas en avant.*) Dis, Didi . . .

VLADIMIR (*sans se retourner*).—Je n'ai rien à te dire.

ESTRAGON (*pas en avant*).—Tu es fâché? (*Silence. Pas en* ³⁵ *avant*). Pardon! (*Silence. Pas en avant. Il lui touche l'épaule.*) Voyons, Didi. (*Silence.*) Donne ta main! (*Vladi-*

mir se retourne.) Embrasse-moi! (*Vladimir se raidit.*) Laisse-toi faire! (*Vladimir s'amollit. Ils s'embrassent. Estragon recule.*) Tu pues l'ail!

VLADIMIR.—C'est pour les reins. (*Silence. Estragon regarde l'arbre avec attention.*) Qu'est-ce qu'on fait maintenant? [5]

ESTRAGON.—On attend.

VLADIMIR.—Oui, mais en attendant.

ESTRAGON.—Si on se pendait?[34]

VLADIMIR.—Ce serait un moyen de bander.[35] [10]

ESTRAGON (*aguiché*).—On bande?

VLADIMIR.—Avec tout ce qui s'ensuit. Là où ça tombe il pousse des mandragores. C'est pour ça qu'elles crient quand on les arrache. Tu ne savais pas ça?

ESTRAGON.—Pendons-nous tout de suite. [15]

VLADIMIR.—A une branche? (*Ils s'approchent de l'arbre et le regardent.*) Je n'aurais pas confiance.

ESTRAGON.—On peut toujours essayer.

VLADIMIR.—Essaie.

ESTRAGON.—Après toi. [20]

VLADIMIR.—Mais non, toi d'abord.

ESTRAGON.—Pourquoi?

VLADIMIR.—Tu pèses moins lourd que moi.

ESTRAGON.—Justement.

VLADIMIR.—Je ne comprends pas. [25]

ESTRAGON.—Mais réfléchis un peu, voyons.

Vladimir réfléchit.

VLADIMIR (*finalement*).—Je ne comprends pas.

ESTRAGON.—Je vais t'expliquer. (*Il réfléchit.*) La branche . . . la branche . . . (*Avec colère.*) Mais essaie [30] donc de comprendre!

VLADIMIR.—Je ne compte plus que sur toi.

34. **Si on se pendait?** What if we hanged ourselves?
35. **Ce serait . . . bander** That would be one way of having an erection. (*Hanging has violent physiological effects which give rise to the widespread beliefs concerning the mandrake to which Vladimir next alludes: it was supposed to grow on the spot where a man had been hanged—hence its properties.*)

ESTRAGON (*avec effort*).—Gogo léger—branche pas casser —Gogo mort. Didi lourd—branche casser—Didi seul.[36] (*Un temps.*) Tandis que . . . (*Il cherche l'expression juste.*)

VLADIMIR.—Je n'avais pas pensé à ça.

ESTRAGON (*ayant trouvé*).—Qui peut le plus peut le [5] moins.[37]

VLADIMIR.—Mais est-ce que je pèse plus lourd que toi?

ESTRAGON.—C'est toi qui le dis. Moi je n'en sais rien. Il y a une chance sur deux.[38] Ou presque.

VLADIMIR.—Alors quoi faire? [10]

ESTRAGON.—Ne faisons rien. C'est plus prudent.

VLADIMIR.—Attendons voir ce qu'il va nous dire.

ESTRAGON.—Qui?

VLADIMIR.—Godot.

ESTRAGON.—Voilà. [15]

VLADIMIR.—Attendons d'être fixés d'abord.[39]

ESTRAGON.—D'un autre côté, on ferait peut-être mieux de battre le fer avant qu'il soit glacé.[40]

VLADIMIR.—Je suis curieux de savoir ce qu'il va nous dire. Ça ne nous engage à rien.[41] [20]

ESTRAGON.—Qu'est-ce qu'on lui a demandé au juste?

VLADIMIR.—Tu n'étais pas là?

ESTRAGON.—Je n'ai pas fait attention.

VLADIMIR.—Eh bien . . . Rien de bien précis.

ESTRAGON.—Une sorte de prière. [25]

VLADIMIR.—Voilà.

ESTRAGON.—Une vague supplique.

VLADIMIR.—Si tu veux.

ESTRAGON.—Et qu'a-t-il répondu?

VLADIMIR.—Qu'il verrait. [30]

---

36. **Gogo léger . . . Didi seul** *Baby talk.* (*The intellectual effort to explain is too much for Estragon.*)
37. **Qui . . . moins** *Popular proverb.*
38. **une chance sur deux** an even chance.
39. **Attendons . . . d'abord** Let's wait until we see how we stand.
40. **battre . . . glacé** *Play on the proverb* **battre le fer pendant qu'il est chaud** [to strike while the iron is hot].
41. **Ça . . . rien** We can take it or leave it.

ESTRAGON.—Qu'il ne pouvait rien promettre.
VLADIMIR.—Qu'il lui fallait réfléchir.
ESTRAGON.—A tête reposée.[42]
VLADIMIR.—Consulter sa famille.
ESTRAGON.—Ses amis.   5
VLADIMIR.—Ses agents.
ESTRAGON.—Ses correspondants.
VLADIMIR.—Ses registres.
ESTRAGON.—Son compte en banque.
VLADIMIR.—Avant de se prononcer.   10
ESTRAGON.—C'est normal.
VLADIMIR.—N'est-ce pas?
ESTRAGON.—Il me semble.
VLADIMIR.—A moi aussi.

                                          Repos.   15

ESTRAGON (*inquiet*).—Et nous?
VLADIMIR.—Plaît-il?[43]
ESTRAGON.—Je dis, Et nous?
VLADIMIR.—Je ne comprends pas.
ESTRAGON.—Quel est notre rôle là-dedans?   20
VLADIMIR.—Notre rôle?
ESTRAGON.—Prends ton temps.
VLADIMIR.—Notre rôle? Celui du suppliant.
ESTRAGON.—A ce point-là?
VLADIMIR.—Monsieur a des exigences à faire valoir?[44]   25
ESTRAGON.—On n'a plus de droits?
Rire de Vladimir, auquel il coupe court comme au
précédent. Même jeu, moins le sourire.
VLADIMIR.—Tu me ferais rire, si cela m'était permis.
ESTRAGON.—Nous les[45] avons perdus?   30
VLADIMIR (*avec netteté*).—Nous les avons bazardés.

42. **à tête reposée** in peace.
43. **Plaît-il?** I beg your pardon?
44. **Monsieur . . . valoir?** Your Lordship wishes to assert his pre-
rogatives?
45. **les = les droits.**

Silence. Ils demeurent immobiles, bras ballants, tête sur la poitrine, cassés aux genoux.[46]

ESTRAGON *(faiblement).*—On n'est pas lié? *(Un temps)* Hein?

VLADIMIR *(levant la main).*—Ecoute!

Ils écoutent, grotesquement figés.

ESTRAGON.—Je n'entends rien.

VLADIMIR.—Hsst! *(Ils écoutent. Estragon perd l'équilibre, manque de tomber.*[47] *Il s'agrippe au bras de Vladimir qui chancelle. Ils écoutent, tassés l'un contre l'autre, les yeux dans les yeux.)* Moi non plus. *(Soupirs de soulagement. Détente. Ils s'éloignent l'un de l'autre.)*

ESTRAGON.—Tu m'as fait peur.

VLADIMIR.—J'ai cru que c'était lui.

ESTRAGON.—Qui?

VLADIMIR.—Godot.

ESTRAGON.—Pah! Le vent dans les roseaux.

VLADIMIR.—J'aurais juré des cris.[48]

ESTRAGON.—Et pourquoi crierait-il?

VLADIMIR.—Après son cheval.

Silence.

ESTRAGON.—Allons-nous-en.

VLADIMIR.—Où? *(Un temps.)* Ce soir on couchera peut-être chez lui, au chaud, au sec, le ventre plein, sur la paille. Ça vaut la peine qu'on attende.[49] Non?

ESTRAGON.—Pas toute la nuit.

VLADIMIR.—Il fait encore jour.

Silence.

ESTRAGON.—J'ai faim.

VLADIMIR.—Veux-tu une carotte?

ESTRAGON.—Il n'y a pas autre chose?

---

46. **cassés aux genoux** sagging at the knees (*mimicry of despair*).
47. **manque de tomber** almost falls. (*Typical circus-clown situation. Pratfalls of all kinds occur throughout the play.*)
48. **J'aurais juré des cris** = J'aurais juré que j'entendais des cris. See below: **J'aurais juré une carotte.**
49. **chez lui** = chez Godot; **Ca vaut la peine qu'on attende** that's worth waiting for.

VLADIMIR.—Je dois avoir quelques navets.

ESTRAGON.—Donne-moi une carotte. (*Vladimir fouille dans ses poches, en retire un navet et le donne à Estragon.*) Merci. (*Il mord dedans. Plaintivement.*) C'est un navet!

VLADIMIR.—Oh pardon! J'aurais juré une carotte. (*Il fouille à nouveau dans ses poches, n'y trouve que des navets.*) Tout ça c'est des navets. (*Il cherche toujours.*) Tu as dû manger la dernière.[50] (*Il cherche.*) Attends, ça y est.[51] (*Il sort enfin une carotte et la donne à Estragon.*) Voilà, mon cher. (*Estragon l'essuie sur sa manche et commence à la manger.*) Rends-moi le navet. (*Estragon lui rend le navet.*) Fais-la durer, il n'y en a plus.

ESTRAGON (*tout en mâchant*).—Je t'ai posé une question.

VLADIMIR.—Ah.

ESTRAGON.—Est-ce que tu m'as répondu?

VLADIMIR.—Elle est bonne, ta carotte?

ESTRAGON.—Elle est sucrée.

VLADIMIR.—Tant mieux, tant mieux. (*Un temps.*) Qu'est-ce que tu voulais savoir?

ESTRAGON.—Je ne me rappelle plus. (*Il mâche.*) C'est ça qui m'embête.[52] (*Il regarde la carotte avec appréciation, la fait tourner en l'air du bout des doigts.*) Délicieuse, ta carotte. (*Il en suce méditativement le bout.*) Attends, ça me revient. (*Il arrache une bouchée.*)

VLADIMIR.—Alors?

ESTRAGON (*la bouche pleine, distraitement*).—On n'est pas lié?

VLADIMIR.—Je n'entends rien.

ESTRAGON (*mâche, avale*).—Je demande si on est lié.

VLADIMIR.—Lié?

ESTRAGON.—Lié.

VLADIMIR.—Comment lié?

ESTRAGON.—Pieds et poings.[53]

50. **Tu . . . dernière** You must have eaten the last one.
51. **ça y est** I have it.
52. **m'embête** annoys me
53. **pieds et poings** hand and foot.

VLADIMIR.—Mais à qui? Par qui?

ESTRAGON.—A ton bonhomme.

VLADIMIR.—A Godot? Lié à Godot? Quelle idée. Jamais
de la vie![54] (*Un temps.*) Pas encore. (*Il ne fait pas la
liaison.*)

ESTRAGON.—Il s'appelle Godot?

VLADIMIR.—Je crois.

ESTRAGON.—Tiens! (*Il soulève le restant de carotte par
le bout de fane et le fait tourner devant ses yeux.*) C'est
curieux, plus on va, moins c'est bon.

VLADIMIR.—Pour moi c'est le contraire.

ESTRAGON.—C'est-à-dire?

VLADIMIR.—Je me fais au goût au fur et à mesure.[55]

ESTRAGON (*ayant longuement réfléchi*).—C'est ça, le
contraire?

VLADIMIR.—Question de tempérament.

ESTRAGON.—De caractère.

VLADIMIR.—On n'y peut rien.

ESTRAGON.—On a beau se démener.[56]

VLADIMIR.—On reste ce qu'on est.

ESTRAGON.—On a beau se tortiller.[57]

VLADIMIR.—Le fond ne change pas.

ESTRAGON.—Rien à faire. (*Il tend le restant de carotte
à Vladimir.*) Veux-tu la finir?

*Un cri terrible retentit, tout proche. Estragon lâche
la carotte. Ils se figent, puis se précipitent vers la coulisse.
Estragon s'arrête à mi-chemin, retourne sur ses pas, ramasse
la carotte, la fourre dans sa poche, s'élance vers Vladimir
qui l'attend, s'arrête à nouveau, retourne sur ses pas, ramasse sa chaussure, puis court rejoindre Vladimir. Enlacés, la tête dans les épaules,[58] se détournant de la menace,
ils attendent.*

54. **Jamais de la vie!**   No question of it!
55. **Je me . . . mesure**   I get used to the taste as I go along.
56. **On a beau se démener**   No use struggling.
57. **On a beau se tortiller**   No use wriggling.
58. **Enlacés . . . épaules**   Huddled together, shoulders hunched.

Entrent Pozzo et Lucky. Celui-là dirige celui-ci au moyen d'une corde passée autour du cou, de sorte qu'on ne voit d'abord que Lucky suivi de la corde, assez longue pour qu'il puisse arriver au milieu du plateau avant que Pozzo débouche de la coulisse. Lucky porte une lourde **5** *valise, un siège pliant, un panier à provisions et un manteau (sur le bras); Pozzo un fouet.*

Pozzo (*en coulisse*).—Plus vite! (*Bruit de fouet. Pozzo paraît. Ils traversent la scène. Lucky passe devant Vladimir et Estragon et sort. Pozzo, ayant vu Vladimir et Estragon,* **10** *s'arrête. La corde se tend. Pozzo tire violemment dessus.*) Arrière! (*Bruit de chute. C'est Lucky qui tombe avec tout son chargement. Vladimir et Estragon le regardent, partagés entre l'envie d'aller à son secours et la peur de se mêler de ce qui ne les regarde pas.*[59] *Vladimir fait un pas vers* **15** *Lucky, Estragon le retient par la manche.*)

VLADIMIR.—Lâche-moi!

ESTRAGON.—Reste tranquille.

POZZO.—Attention! Il est méchant. (*Estragon et Vladimir le regardent.*) Avec les étrangers. **20**

ESTRAGON (*bas*).—C'est lui?

VLADIMIR.—Qui?

ESTRAGON.—Voyons . . .

VLADIMIR.—Godot?

ESTRAGON.—Voilà. **25**

POZZO.—Je me présente: Pozzo.

VLADIMIR.—Mais non.

ESTRAGON.—Il a dit Godot.

VLADIMIR.—Mais non.

ESTRAGON (*à Pozzo*).—Vous n'êtes pas Monsieur Godot, **30** Monsieur?

POZZO (*d'une voix terrible*).—Je suis Pozzo! (*Silence.*) Ce nom ne vous dit rien?[60] (*Silence.*) Je vous demande si ce nom ne vous dit rien?

59. **se mêler . . . regarde pas** get involved in what is none of their business.
60. **Ce nom . . . rien?** Does that name mean nothing to you?

Vladimir et Estragon s'interrogent du regard.

ESTRAGON (*faisant semblant de chercher*).—BOZZO . . .
BOZZO . . .

VLADIMIR (*de même*).—POZZO . . .

POZZO.—PPPOZZO!   5

ESTRAGON.—Ah! POZZO . . . voyons . . . POZZO . . .

VLADIMIR.—C'est POZZO ou BOZZO?

ESTRAGON.—POZZO . . . non, je ne vois pas.

VLADIMIR (*conciliant*).—J'ai connu une famille GOZZO.
La mère brodait au tambour.[61]   10

> *Pozzo avance, menaçant.*

ESTRAGON (*vivement*).—Nous ne sommes pas d'ici,
Monsieur.

POZZO (*s'arrêtant*).—Vous êtes bien des êtres humains
cependant. (*Il met ses lunettes.*) A ce que je vois.[62] (*Il en-*   15
lève ses lunettes.) De la même espèce que moi. (*Il éclate
d'un rire énorme.*) De la même espèce que Pozzo! D'origine
divine!

VLADIMIR.—C'est-à-dire . . .

POZZO (*tranchant*).—Qui est Godot?   20

ESTRAGON.—Godot?

POZZO.—Vous m'avez pris pour Godot.

VLADIMIR.—Oh non, Monsieur, pas un seul instant,
Monsieur.

POZZO.—Qui est-ce?   25

VLADIMIR.—Eh bien, c'est un . . . c'est une connais-
sance.

ESTRAGON.—Mais non, voyons, on le connaît à peine.[63]

VLADIMIR.—Evidemment . . . on ne le connaît pas très
bien . . . mais tout de même . . .   30

ESTRAGON.—Pour ma part je ne le reconnaîtrai même
pas.

POZZO.—Vous m'avez pris pour lui.

ESTRAGON.—C'est-à-dire . . . l'obscurité . . . la fatigue

---

61. **tambour** embroidery frame.
62. **A ce que je vois** From what I see.
63. **on . . . à peine** we hardly know him.

. . . la faiblesse . . . l'attente . . . j'avoue . . . j'ai cru . . .
un instant . . .

VLADIMIR.—Ne l'écoutez pas, Monsieur, ne l'écoutez
pas!

POZZO.—L'attente? Vous l'attendiez donc?⁵

VLADIMIR.—C'est-à-dire . . .

POZZO.—Ici? Sur mes terres?

VLADIMIR.—On ne pensait pas à mal.

ESTRAGON.—C'était dans une bonne intention.

POZZO.—La route est à tout le monde.¹⁰

VLADIMIR.—C'est ce qu'on se disait.

POZZO.—C'est une honte, mais c'est ainsi.

ESTRAGON.—On n'y peut rien.⁶⁴

POZZO (*d'un geste large*).—Ne parlons plus de ça. (*Il
tire sur la corde.*) Debout! (*Un temps.*) Chaque fois qu'il ¹⁵
tombe il s'endort. (*Il tire sur la corde.*) Debout, charogne!
(*Bruit de Lucky qui se relève et ramasse ses affairs. Pozzo
tire sur la corde.*) Arrière! (*Lucky entre à reculons.*)⁶⁵
Arrêt! (*Lucky s'arrête.*) Tourne! (*Lucky se retourne. A
Vladimir et Estragon, affablement.*) Mes amis, je suis ²⁰
heureux de vous avoir rencontrés. (*Devant leur expression
incrédule.*) Mais oui, sincèrement heureux. (*Il tire sur la
corde.*) Plus près! (*Lucky avance.*) Arrêt! (*Lucky s'arrête.
A Vladimir et Estragon.*) Voyez-vous, la route est longue
quand on chemine tout seul pendant . . . (*il regarde sa* ²⁵
montre) . . . pendant . . . (*il calcule*) . . . six heures,
oui, c'est bien ça, six heures à la file,⁶⁶ sans rencontrer âme
qui vive.⁶⁷ (*A Lucky.*) Manteau! (*Lucky dépose la valise,
avance, donne le manteau, recule, reprend la valise.*) Tiens
ça. (*Pozzo lui tend le fouet, Lucky avance et, n'ayant plus* ³⁰
*de mains, se penche et prend le fouet entre ses dents, puis
recule. Pozzo commence à mettre son manteau, s'arrête.*)
Manteau! (*Lucky dépose tout, avance, aide Pozzo à mettre*

---

64. **on n'y peut rien** nothing we can do about it.
65. **entre à reculons** enters backwards.
66. **à la file** straight, in a row.
67. **âme qui vive** a single soul.

son manteau, recule, reprend tout.) Le fond de l'air est
frais.[68] (*Il finit de boutonner son manteau, se penche, s'inspecte, se relève.*) Fouet! (*Lucky avance, se penche, Pozzo
lui arrache le fouet de la bouche, Lucky recule.*) Voyez-
vous, mes amis, je ne peux me passer[69] longtemps de la   5
société de mes semblables (*il regarde les deux semblables*)
même quand ils ne me ressemblent qu'imparfaitement. (*A
Lucky.*) Pliant! (*Lucky dépose valise et panier, avance,
ouvre le pliant, le pose par terre, recule, reprend valise
et panier. Pozzo regarde le pliant.*) Plus près! (*Lucky dé-* 10
*pose valise et panier, avance, déplace le pliant, recule, re-
prend valise et panier. Pozzo s'assied, pose le bout de son
fouet contre la poitrine de Lucky et pousse.*) Arrière!
(*Lucky recule.*) Encore. (*Lucky recule encore.*) Arrêt!
(*Lucky s'arrête. A Vladimir et Estragon.*) C'est pourquoi,   15
avec votre permission, je m'en vais rester[70] un moment
auprès de vous, avant de m'aventurer plus avant. (*A
Lucky.*) Panier! (*Lucky avance, donne le panier, recule.*)
Le grand air, ça creuse.[71] (*Il ouvre le panier, en retire un
morceau de poulet, un morceau de pain et une bouteille*   20
de vin. A Lucky.) Panier! (*Lucky avance, prend le panier,
recule, s'immobilise.*) Plus loin! (*Lucky recule.*) Là!
(*Lucky s'arrête.*) Il pue. (*Il boit une rasade à même le
goulot.*) A la bonne nôtre.[72] (*Il dépose la bouteille et se
met à manger.*)   25

  *Silence. Estragon et Vladimir, s'enhardissant peu à peu,
tournent autour de Lucky, l'inspectent sur toutes les
coutures.*[73] *Pozzo mord dans son poulet avec voracité, jette
les os après les avoir sucés. Lucky ploie lentement,*

68. **le fond de l'air est frais** (*vernacular*) It's pretty cool still.
69. **me passer** do without.
70. **je m'en vais rester** je vais rester.
71. **le grand air, ça creuse** (*vernacular*) the fresh air stimulates
    one's appetite [*literally,* hollows out].
72. **à même le goulot** straight out of the bottle; **A la bonne nôtre**
    Here's to us.
73. **sur toutes les coutures** up and down [*literally,* along all the
    seams].

jusqu'à ce que la valise frôle le sol, se redresse brusque-
ment, recommence à ployer. Rythme de celui qui dort
debout.[74]

ESTRAGON.—Qu'est-ce qu'il a?[75]

VLADIMIR.—Il a l'air fatigué.   5

ESTRAGON.—Pourquoi ne dépose-t-il pas ses bagages?

VLADIMIR.—Est-ce que je sais? (*Ils le serrent de plus*
près.) Attention!

ESTRAGON.—Si on lui parlait?

VLADIMIR.—Regarde-moi ça!   10

ESTRAGON.—Quoi?

VLADIMIR (*indiquant*).—Le cou.

ESTRAGON (*regardant le cou*).—Je ne vois rien.

VLADIMIR.—Mets-toi ici.

          Estragon se met à la place de Vladimir.   15

ESTRAGON.—En effet.

VLADIMIR.—A vif.[76]

ESTRAGON.—C'est la corde.

VLADIMIR.—A force de frotter.

ESTRAGON.—Qu'est-ce que tu veux.   20

VLADIMIR.—C'est le nœud.

ESTRAGON.—C'est fatal.

Ils reprennent leur inspection, s'arrêtent au visage.

VLADIMIR.—Il n'est pas mal.[77]

ESTRAGON (*levant les épaules, faisant la moue*).—Tu   25
trouves?

VLADIMIR.—Un peu efféminé.

ESTRAGON.—Il bave.

VLADIMIR.—C'est forcé.[78]

ESTRAGON.—Il écume.   30

VLADIMIR.—C'est peut-être un idiot.

ESTRAGON.—Un crétin.

---

74. **dort debout** sleeps on his feet; **dormir debout** to be dead
    tired. (*Beckett uses it literally here for Lucky.*)
75. **Qu'est-ce qu'il a?** What's the matter with him?
76. **à vif** sore, raw.
77. **Il n'est pas mal** He's not bad looking.
78. **C'est forcé** It's inevitable.

VLADIMIR (*avançant la tête*).—On dirait un goitre.

ESTRAGON (*même jeu*).—Ce n'est pas sûr.

VLADIMIR.—Il halète.

ESTRAGON.—C'est normal.

VLADIMIR.—Et ses yeux! 5

ESTRAGON.—Qu'est-ce qu'ils ont?

VLADIMIR.—Ils sortent.[79]

ESTRAGON.—Pour moi il est en train de crever.

VLADIMIR.—Ce n'est pas sûr. (*Un temps.*) Pose-lui une question. 10

ESTRAGON.—Tu crois?

VLADIMIR.—Qu'est-ce qu'on risque?

ESTRAGON (*timidement*).—Monsieur . . .

VLADIMIR.—Plus fort.

ESTRAGON (*plus fort*).—Monsieur . . . 15

POZZO.—Foutez-lui la paix![80] (*Ils se tournent vers Pozzo qui, ayant fini de manger, s'essuie la bouche du revers de la main.*)[81] Vous ne voyez pas qu'il veut se reposer? (*Il sort sa pipe et commence à la bourrer. Estragon remarque les os de poulet par terre, les fixe[82] avec avidité. Pozzo frotte* 20 *une allumette et commence à allumer sa pipe.*) Panier! (*Lucky ne bougeant pas, Pozzo jette l'allumette avec emportement[83] et tire sur la corde.*) Panier! (*Lucky manque de tomber, revient à lui,[84] avance, met la bouteille dans le panier, retourne à sa place, reprend son attitude. Estragon* 25 *fixe les os, Pozzo frotte une seconde allumette et allume sa pipe.*) Que voulez-vous, ce n'est pas son travail. (*Il aspire une bouffée, allonge les jambes.*) Ah! ça va mieux.

ESTRAGON (*timidement*).—Monsieur . . .

POZZO.—Qu'est-ce que c'est, mon brave?[85] 30

---

79. **Ils sortent** They protrude.
80. **Foutez-lui la paix!** Leave him in peace (*not for polite company*)!
81. **revers de la main** back of his hand.
82. **fixe** stares at.
83. **avec emportement** angrily.
84. **manque de tomber, revient à lui** almost falls, recovers his senses.
85. **mon brave** my good fellow (*patronizing*).

Estragon.—Heu . . . vous ne mangez pas . . . heu
. . . vous n'avez plus besoin . . . des os . . . Monsieur?

Vladimir *(outré)*.—Tu ne pouvais pas attendre?

Pozzo.—Mais non, mais non, c'est tout naturel. Si[86] j'ai
besoin des os? *(Il les remue du bout de son fouet.)* Non, 5
personnellement je n'en ai plus besoin. *(Estragon fait un
pas vers les os.)* Mais . . . *(Estragon s'arrête)* mais en prin-
cipe les os reviennent au porteur.[87] C'est donc à lui qu'il
faut demander. *(Estragon se tourne vers Lucky, hésite.)*
Mais demandez-lui, demandez-lui, n'ayez pas peur, il vous 10
le dira.

Estragon va vers Lucky, s'arrête devant lui.

Estragon.—Monsieur . . . pardon, Monsieur . . .

*Lucky ne réagit pas. Pozzo fait claquer son fouet. Lucky
relève la tête.* 15

Pozzo.—On te parle, porc. Réponds. *(A Estragon.)*
Allez-y.[88]

Estragon.—Pardon, Monsieur, les os, vous les voulez?
          Lucky regarde Estragon longuement.

Pozzo *(aux anges).*[89]—Monsieur! *(Lucky baisse la tête.)* 20
Réponds! Tu les veux ou tu ne les veux pas? *(Silence de
Lucky. A Estragon.)* Ils sont à vous. *(Estragon se jette sur
les os, les ramasse et commence à les ronger.)* C'est pourtant bizarre. C'est bien la première fois qu'il me refuse
un os.[90] *(Il regarde Lucky avec inquiétude.)* J'espère qu'il 25
ne va pas me faire la blague de tomber malade.[91] *(Il tire
sur sa pipe.)*

Vladimir *(éclatant.)*—C'est une honte!

*Silence. Estragon, stupéfait, s'arrête de ronger, regarde
Vladimir et Pozzo tour à tour. Pozzo très calme. Vladimir* 30
de plus en plus gêné.

86. **Si** *(ellipsis =* **vous me demandez si?** . . .
87. **les os reviennent au porteur**   the bones go to the carrier.
88. **Allez-y**   Go ahead.
89. **Aux anges**   delighted; **être aux anges**   to be delighted.
90. **qu'il me refuse un os**   that he's refused a bone.
91. **qu'il ne . . . malade**   that he won't pull a trick like getting
    sick.

POZZO (*à Vladimir*).—Faites-vous allusion à quelque chose de particulier?

VLADIMIR (*résolu et bafouillant*).—Traiter un homme (*geste vers Lucky*) de cette façon . . . je trouve ça . . . un être humain . . . non . . . c'est une honte! 5

ESTRAGON (*ne voulant pas être en reste.*)[92] Un scandale! (*Il se remet à ronger.*)

POZZO.—Vous êtes sévères. (*A Vladimir.*) Quel âge avez-vous, sans indiscrétion? (*Silence.*) Soixante? . . . Soixante-dix? . . . (*A Estragon.*) Quel âge peut-il bien avoir? 10

ESTRAGON.—Demandez-lui.

POZZO.—Je suis indiscret. (*Il vide sa pipe en la tapant contre son fouet, se lève.*) Je vais vous quitter. Merci de m'avoir tenu compagnie. (*Il réfléchit.*) A moins que je ne fume encore une pipe avec vous. Qu'en dites-vous? (*Ils* 15 *n'en disent rien.*) Oh! je ne suis qu'un petit fumeur, un tout petit fumeur, il n'est pas dans mes habitudes de fumer deux pipes coup sur coup,[93] ça (*il porte sa main au cœur*) fait battre mon cœur. (*Un temps.*) C'est la nicotine, on en absorbe, malgré ses[94] précautions. (*Il soupire.*) Que voulez- 20 vous. (*Silence.*) Mais peut-être que vous n'êtes pas des fumeurs. Si? Non? Enfin, c'est un détail. (*Silence.*) Mais comment me rasseoir maintenant avec naturel, maintenant que je me suis mis debout? Sans avoir l'air de—comment dire—de fléchir?[95] (*A Vladimir.*) Vous dites? (*Silence.*) 25 Peut-être n'avez-vous rien dit? (*Silence.*) C'est sans importance. Voyons . . . (*Il réfléchit.*)

ESTRAGON.—Ah! Ça va mieux. (*Il jette les os.*)

VLADIMIR.—Partons.

ESTRAGON.—Déjà? 30

POZZO.—Un instant! (*Il tire sur la corde.*) Pliant! (*Il montre avec son fouet. Lucky déplace le pliant.*) Encore!

92. **ne voulant . . . reste** not to be outdone.
93. **coup sur coup** one right after the other.
94. **ses** one's.
95. **fléchir** to bend and to give in (**Fléchir** *is used in a physiological and a moral sense. Pozzo is terribly anxious to remain dignified.*)

Là! (*Il se rassied. Lucky recule, reprend valise et panier.*)
Me voilà réinstallé! (*Il commence à bourrer sa pipe.*)
VLADIMIR.—Partons.
POZZO.—J'espère que ce n'est pas moi qui vous chasse.
Restez encore un peu, vous ne le regretterez pas.   5
ESTRAGON (*flairant l'aumône*).[96]—Nous avons le temps.
POZZO (*ayant allumé sa pipe*).—La deuxième est tou-
jours moins bonne (*il enlève la pipe de sa bouche, la con-
temple*) que la première, je veux dire. (*Il remet la pipe
dans sa bouche.*) Mais elle est bonne quand même.   10
VLADIMIR.—Je m'en vais.
POZZO.—Il ne peut plus supporter ma présence. Je suis
sans doute peu humain, mais est-ce une raison? (*A Vladimir.*) Réfléchissez, avant de commettre une imprudence.
Mettons que[97] vous partiez maintenant, pendant qu'il fait 15
encore jour, car malgré tout il fait encore jour. (*Tous les
trois regardent le ciel.*) Bon. Que devient en ce cas—(*il
ôte sa pipe de la bouche, la regarde*)—je suis éteint—(*il
rallume sa pipe*)—en ce cas . . . en ce cas . . . que devient
en ce cas votre rendez-vous avec ce . . . Godet . . . Godot 20
. . . Godin . . . (*silence*) . . . enfin vous voyez qui je
veux dire, dont votre avenir dépend (*silence*) . . . enfin
votre avenir immédiat.
ESTRAGON.—Il a raison.
VLADIMIR.—Comment le saviez-vous?   25
POZZO.—Voilà qu'il m'adresse à nouveau la parole! Nous
finirons par nous prendre en affection.
ESTRAGON.—Pourquoi ne dépose-t-il[98] pas ses bagages?
POZZO.—Moi aussi je serais heureux de le rencontrer.
Plus je rencontre de gens, plus je suis heureux. Avec la 30
moindre créature on s'instruit, on s'enrichit, on goûte

96. **flairant l'aumône** scenting charity.
97. **mettons que** suppose, let's say.
98. **il** Lucky. (*This starts a set of* **quid pro quos** *with Estragon
referring to Lucky, whereas Pozzo is first speaking of Godot,
then following his own train of thought. Next Vladimir comes
in and the three-way exchange begins to move faster. It is
easy to see to what each is referring.*)

mieux son bonheur. Vous-mêmes (*il les regarde attentive-*
ment l'un après l'autre, afin qu'ils se sachent visés tous
les deux) vous-mêmes, qui sait, vous m'aurez peut-être
apporté quelque chose.

ESTRAGON.—Pourquoi ne dépose-t-il pas ses bagages?   5

POZZO.—Mais ça m'étonnerait.

VLADIMIR.—On vous pose une question.

POZZO (*ravi*).—Une question? Qui? Laquelle? (*Silence.*)
Tout à l'heure vous me disiez Monsieur, en tremblant.
Maintenant vous me posez des questions. Ça va mal finir. 10

VLADIMIR (*à Estragon*).—Je crois qu'il t'écoute.

ESTRAGON (*qui s'est remis à tourner autour de Lucky*).
—Quoi?

VLADIMIR.—Tu peux lui demander maintenant. Il est
alerté.   15

ESTRAGON.—Lui demander quoi?

VLADIMIR.—Pourquoi il ne dépose pas ses bagages.

ESTRAGON.—Je me le demande.[99]

VLADIMIR.—Mais demande-lui, voyons.

POZZO (*qui a suivi ces échanges avec une attention* 20
anxieuse, craignant que la question ne se perde).[100]—Vous
me demandez pourquoi il ne dépose pas ses bagages, comme
vous dites.

VLADIMIR.—Voilà.

POZZO (*à Estragon*).—Vous êtes bien d'accord?   25

ESTRAGON (*continuant à tourner autour de Lucky*).—
Il souffle comme un phoque.[101]

POZZO.—Je vais vous répondre. (*A Estragon.*) Mais
restez tranquille, je vous en supplie, vous me rendez
nerveux.   30

VLADIMIR.—Viens ici.

ESTRAGON.—Qu'est-ce qu'il y a?

VLADIMIR.—Il va parler.

Immobiles, l'un contre l'autre, ils attendent.

99. **Je me le demande** (*idiomatic*) I wonder.
100. **craignant . . . perde** fearing lest the question get lost.
101. **Il . . . phoque** He's puffing like a grampus [**phoque**, seal].

Pozzo.—C'est parfait. Tout le monde y est?[102] Tout le monde me regarde? (*Il regarde Lucky, tire sur la corde. Lucky lève la tête.*) Regarde-moi, porc! (*Lucky le regarde.*) Parfait. (*Il met la pipe dans sa poche, sort un petit vaporisateur et se vaporise la gorge, remet le vaporisateur dans sa poche, se râcle la gorge, crache, ressort le vaporisateur, se revaporise la gorge, remet le vaporisateur dans sa poche.*) Je suis prêt. Tout le monde m'écoute? (*Il regarde Lucky, tire sur la corde.*) Avance! (*Lucky avance.*) Là! (*Lucky s'arrête.*) Tout le monde est prêt? (*Il les regarde tous les trois, Lucky en dernier, tire sur la corde.*) Alors quoi? (*Lucky lève la tête.*) Je n'aime pas parler dans le vide. Bon. Voyons. (*Il réfléchit.*)

Estragon.—Je m'en vais.

Pozzo.—Qu'est-ce que vous m'avez demandé au juste?

Vladimir.—Pourquoi il—

Pozzo (*avec colère*).—Ne me coupez pas la parole! (*Un temps. Plus calme.*) Si nous parlons tous en même temps nous n'en sortirons jamais. (*Un temps.*) Qu'est-ce que je disais? (*Un temps. Plus fort.*) Qu'est-ce que je disais?

Vladimir mime celui qui porte une lourde charge. Pozzo le regarde sans comprendre.)

Estragon (*avec force.*)—Bagages! (*Il pointe son doigt vers Lucky.*) Pourquoi? Toujours tenir. (*Il fait celui qui ploie, en haletant.*) Jamais déposer.[103] (*Il ouvre les mains, se redresse avec soulagement.*) Pourquoi?

Pozzo.—J'y suis. Il fallait me le dire plus tôt. Pourquoi il ne se met pas à son aise. Essayons d'y voir clair. N'en a-t-il pas le droit? Si. C'est donc qu'il ne veut pas? Voilà qui est raisonné. Et pourquoi ne veut-il pas? (*Un temps.*) Messieurs, je vais vous le dire.

Vladimir.—Attention!

---

102. **Tout le monde y est?** Everybody ready?
103. **Toujours tenir . . . Jamais déposer** *Again, elliptic childish language, or such as we use to make ourselves understood by foreigners.* **Pourquoi tient-il toujours les bagages et ne les dépose-t-il jamais?**

POZZO.—C'est pour m'impressionner, pour que je le garde.

ESTRAGON.—Comment?

POZZO.—Je me suis peut-être mal exprimé. Il cherche à m'apitoyer, pour que je renonce à me séparer de lui. Non, ⁵ ce n'est pas tout à fait ça.

VLADIMIR.—Vous voulez vous en débarrasser?

POZZO.—Il veut m'avoir, mais il ne m'aura pas.[104]

VLADIMIR.—Vous voulez vous en débarrasser?

POZZO.—Il s'imagine qu'en le voyant bon porteur je ¹⁰ serai tenté de l'employer à l'avenir dans cette capacité.

ESTRAGON.—Vous n'en voulez plus?

POZZO.—En réalité il porte comme un porc. Ce n'est pas son métier.

VLADIMIR.—Vous voulez vous en débarrasser? ¹⁵

POZZO.—Il se figure qu'en le voyant infatigable je vais regretter ma décision. Tel est son misérable calcul. Comme si j'étais à court d'hommes de peine![105] (*Tous les trois regardent Lucky.*) Atlas, fils de Jupiter![106] (*Silence.*) Et voilà. Je pense avoir répondu à votre question. En avez- ²⁰ vous d'autres? (*Jeu du vaporisateur.*)

VLADIMIR.—Vous voulez vous en débarrasser?

POZZO.—Remarquez que j'aurais pu être à sa place et lui à la mienne. Si le hasard ne s'y était pas opposé. A chacun son dû.[107] ²⁵

VLADIMIR.—Vous voulez vous en débarrasser?

POZZO.—Vous dites?

VLADIMIR.—Vous voulez vous en débarrasser?

POZZO.—En effet. Mais au lieu de le chasser, comme j'aurais pu, je veux dire au lieu de le mettre tout simple- ³⁰ ment à la porte, à coups de pied dans le cul,[108] je l'emmène,

104. **Il veut . . . pas** He wants to put one over on me, but he won't.
105. **Comme si . . . peine** As if I were short of slaves!
106. **Atlas, fils de Jupiter** *Mock heroic sarcasm.* (*Atlas, one of the Titans who took part in the revolt against Jupiter, was condemned to hold aloft the heavens.*)
107. **A chacun son dû** To each one his due.
108. **à coups . . . cul** Kicking him out on his arse.

telle est ma bonté, au marché de Saint-Sauveur,[109] où je compte bien en tirer quelque chose.[110] A vrai dire, chasser de tels êtres, ce n'est pas possible. Pour bien faire, il faudrait les tuer.

Lucky pleure.   5

ESTRAGON.—Il pleure.

POZZO.—Les vieux chiens ont plus de dignité. (*Il tend son mouchoir à Estragon.*) Consolez-le, puisque vous le plaignez. (*Estragon hésite.*) Prenez. (*Estragon prend le mouchoir.*) Essuyez-lui les yeux. Comme ça il se sentira 10 moins abandonné.

Estragon hésite toujours.

VLADIMIR.—Donne, je le ferai moi.

Estragon ne veut pas donner le mouchoir. Gestes d'enfant.   15

POZZO.—Dépêchez-vous. Bientôt il ne pleurera plus. (*Estragon s'approche de Lucky et se met en posture de lui essuyer les yeux. Lucky lui décoche un violent coup de pied dans les tibias. Estragon lâche le mouchoir, se jette en arrière, fait le tour du plateau en boitant et en hurlant de* 20 *douleur.*) Mouchoir. (*Lucky dépose valise et panier, ramasse le mouchoir, avance, le donne à Pozzo, recule, reprend valise et panier.*)

ESTRAGON.—Le salaud! La vache! (*Il relève son pantalon.*) Il m'a estropié![111]   25

POZZO.—Je vous avais dit qu'il n'aime pas les étrangers.

VLADIMIR (*à Estragon*).—Fais voir. (*Estragon lui montre sa jambe. A Pozzo, avec colère.*) Il saigne!

POZZO.—C'est bon signe.

ESTRAGON (*la jambe blessée en l'air*).—Je ne pourrai 30 plus marcher!

109. **marché de Saint-Sauveur** to the fair (*also a play on words suggesting salvation*).
110. **je compte . . . chose** I hope to get a good price for him.
111. **Le salaud . . . estropié** The swine! The beast! He's crippled me.

VLADIMIR (*tendrement*).—Je te porterai. (*Un temps.*)
Le cas échéant.[112]

POZZO.—Il ne pleure plus. (*A Estragon.*) Vous l'avez
remplacé en quelque sorte. (*Rêveusement.*) Les larmes du
monde sont immuables. Pour chacun qui se met à pleurer,   5
quelque part un autre s'arrête. Il en va de même du rire.[113]
(*Il rit.*) Ne disons donc pas de mal de notre époque, elle
n'est pas plus malheureuse que les précédentes. (*Silence.*)
N'en disons pas de bien non plus. (*Silence.*) N'en parlons
pas. (*Silence.*) Il est vrai que la population a augmenté.   10
VLADIMIR.—Essaie de marcher.

*Estragon part en boitillant, s'arrête devant Lucky et
crache sur lui, puis va s'asseoir là où il était assis au lever
du rideau.*

POZZO.—Savez-vous qui m'a appris toutes ces belles 15
choses? (*Un temps. Dardant son doigt vers Lucky.*) Lui!

VLADIMIR (*regardant le ciel*).—La nuit ne viendra-t-elle
donc jamais?

POZZO.—Sans lui je n'aurais jamais pensé, jamais senti,
que des choses basses, ayant trait à[114] mon métier de—peu 20
importe. La beauté, la grâce, la vérité de première classe,
je m'en savais incapable. Alors j'ai pris un knouk.[115]

VLADIMIR (*malgré lui, cessant d'interroger le ciel*).—
Un knouk?

POZZO.—Il y aura bientôt soixante ans que ça dure . . . 25
(*il calcule mentalement*) . . . oui, bientôt soixante. (*Se
redressant fièrement.*) On ne me les donnerait pas,[116]
n'est-ce pas? (*Vladimir regarde Lucky.*) A côté de lui j'ai
l'air d'un jeune homme, non? (*Un temps. A Lucky.*) Chapeau! (*Lucky dépose le panier, enlève son chapeau. Une* 30
abondante chevelure blanche lui tombe autour du visage.
Il met son chapeau sous le bras et reprend le panier.)

112. **Le cas échéant** If need be.
113. **Il en . . . rire** The same is true of laughter.
114. **ayant trait à** related to, referring to.
115. **knouk** a buffoon and slave (*word invented by the author*
suggesting the Russian knut [*whip*]).
116. **On . . . pas** You wouldn't think it to look at me.

Maintenant regardez. (*Pozzo ôte son chapeau. Il est complètement chauve. Il remet son chapeau.*) Vous avez vu?

VLADIMIR.—Qu'est-ce que c'est, un knouk?

POZZO.—Vous n'êtes pas d'ici. Etes-vous seulement du siècle? Autrefois on avait des bouffons. Maintenant on a [5] des knouks. Ceux qui peuvent se le permettre.[117]

VLADIMIR.—Et vous le chassez à présent? Un si vieux, un si fidèle serviteur?

ESTRAGON.—Fumier![118]

> *Pozzo de plus en plus agité.* [10]

VLADIMIR.—Après en avoir sucé la substance vous le jetez comme un . . . (*il cherche*) . . . comme une peau de banane. Avouez que . . .

POZZO (*gémissant, portant ses mains à sa tête*).—Je n'en peux plus[119] . . . plus supporter . . . ce qu'il fait . . . [15] pouvez pas savoir . . . c'est affreux . . . faut qu'il s'en aille . . . (*Il brandit le bras*) . . . je deviens fou . . . (*Il s'effondre, la tête dans les bras.*) Je n'en peux plus . . . peux plus . . .

> *Silence. Tous regardent Pozzo. Lucky tressaille.* [20]

VLADIMIR.—Il n'en peut plus.

ESTRAGON.—C'est affreux.

VLADIMIR.—Il devient fou.

ESTRAGON.—C'est dégoûtant.

VLADIMIR (*à Lucky*).—Comment osez-vous? C'est hon- [25] teux! Un si bon maître! Le[120] faire souffrir ainsi! Après tant d'années! Vraiment!

POZZO (*sanglotant*).—Autrefois . . . il était gentil . . . il m'aidait . . . me distrayait . . . il me rendait meilleur . . . maintenant . . . il m'assassine . . . [30]

ESTRAGON (*à Vladimir*).—Est-ce qu'il veut le[121] remplacer?

---

117. **Ceux . . . permettre** Those who can afford it.
118. **Fumier** dung-heap, swine.
119. **Je n'en peux plus** I can't bear it any longer.
120. **Le** Pozzo.
121. **le** Lucky.

VLADIMIR.—Comment?

ESTRAGON.—Je n'ai pas compris s'il veut le remplacer ou s'il n'en[122] veut plus après lui.

VLADIMIR.—Je ne crois pas.

ESTRAGON.—Comment?   5

VLADIMIR.—Je ne sais pas.

ESTRAGON.—Faut lui demander.

POZZO (calmé).—Messieurs, je ne sais pas ce qui m'est arrivé. Je vous demande pardon. Oubliez tout ça. (De plus en plus maître de lui.) Je ne sais plus très bien ce que j'ai   10 dit, mais vous pouvez être sûrs qu'il n'y avait pas un mot de vrai là-dedans. (Se redresse, se frappe la poitrine.) Est-ce que j'ai l'air d'un homme qu'on fait souffrir, moi? Voyons! (Il fouille dans ses poches.) Qu'est-ce que j'ai fait de ma pipe?

VLADIMIR.—Charmante soirée.   15

ESTRAGON.—Inoubliable.

VLADIMIR.—Et ce n'est pas fini.

ESTRAGON.—On dirait que non.

VLADIMIR.—Ça ne fait que commencer.

ESTRAGON.—C'est terrible.   20

VLADIMIR.—On se croirait au spectacle.

ESTRAGON.—Au cirque.

VLADIMIR.—Au music-hall.

ESTRAGON.—Au cirque.

POZZO.—Mais qu'ai-je donc fait de ma bruyère![123]   25

ESTRAGON.—Il est marrant![124] Il a perdu sa bouffarde![123] (Rit bruyamment.)

VLADIMIR.—Je reviens. (Il se dirige vers la coulisse.)

ESTRAGON.—Au fond du couloir, à gauche.[125]

VLADIMIR.—Garde ma place. (Il sort.)   30

POZZO.—J'ai perdu mon Abdullah![126]

122. en = des knouks.
123. bruyère, bouffarde (slang) pipe.
124. Il est marrant   He's a scream.
125. Au fond . . . gauche   At the end of the corridor, on the left. (Usual indication for the whereabouts of the restroom, hence Estragon's amusement.)
126. Abdullah   Trade-mark of pipe?

ESTRAGON (*se tordant*).—Il est tordant![127]

POZZO (*levant la tête*).—Vous n'auriez pas vu—(*Il s'aperçoit de l'absence de Vladimir. Desolé.*) Oh! Il est parti! . . . Sans me dire au revoir! Ce n'est pas chic! Vous auriez dû le retenir. 5

ESTRAGON.—Il s'est retenu[128] tout seul.

POZZO.—Oh! (*Un temps.*) A la bonne heure.

ESTRAGON.—Venez par ici.

POZZO.—Pour quoi faire?

ESTRAGON.—Vous allez voir. 10

POZZO.—Vous voulez que je me lève?

ESTRAGON.—Venez . . . venez . . . vite.

> Pozzo se lève et va vers Estragon.

ESTRAGON.—Regardez!

POZZO.—Oh! là là! 15

ESTRAGON.—C'est fini.

Vladimir revient, sombre, bouscule Lucky, renverse le pliant d'un coup de pied, va et vient avec agitation.

POZZO.—Il n'est pas content?

ESTRAGON.—Tu as raté[129] des choses formidables. Dom- 20 mage.

Vladimir s'arrête, redresse le pliant, reprend son va-et-vient, plus calme.

POZZO.—Il s'apaise. (*Regard circulaire.*) D'ailleurs tout s'apaise, je le sens. Une grande paix descend. Ecoutez. 25 (*Il lève la main.*) Pan dort.[130]

VLADIMIR (*s'arrêtant*).—La nuit ne viendra-t-elle jamais?

> Tous les trois regardent le ciel.

POZZO.—Vous ne tenez pas à[131] partir avant?

127. **se tordant** convulsed (*with laughter*); **il est tordant** he's a real scream.

128. **retenu** (*play on words; retenir as Pozzo uses it*) to prevent from leaving; **se retenir** to control oneself.

129. **raté** (*slang*) missed.

130. **Pan dort** Pompous allusion to the Greek deity, with a goat's legs and horns, who was often found among the followers of Dionysos, chasing nymphs or playing the flute. He later symbolized the Great Whole, universal Life.

131. **Vous ne tenez pas à** You don't feel like.

ESTRAGON.—C'est-à-dire . . . vous comprenez . . .

POZZO.—Mais c'est tout naturel, c'est tout naturel. Moi-même, à votre place, si j'avais rendez-vous avec un Godin . . . Godet . . . Godot . . . enfin vous voyez qui je veux dire, j'attendrais qu'il fasse nuit noire avant d'abandonner. [5] (*Il regarde le pliant.*) J'aimerais bien me rasseoir, mais je ne sais pas trop comment m'y prendre.[132]

ESTRAGON.—Puis-je vous aider?

POZZO.—Si vous me demandiez peut-être.

ESTRAGON.—Quoi? [10]

POZZO.—Si vous me demandiez de me rasseoir.

ESTRAGON.—Ça vous aiderait?

POZZO.—Il me semble.

ESTRAGON.—Allons-y. Rasseyez-vous, Monsieur, je vous en prie. [15]

POZZO.—Non non, ce n'est pas la peine. (*Un temps. A voix basse.*) Insistez un peu.

ESTRAGON.—Mais voyons, ne restez pas debout comme ça, vous allez attraper froid.

POZZO.—Vous croyez? [20]

ESTRAGON.—Mais c'est absolument certain.

POZZO.—Vous avez sans doute raison. (*Il se rassied.*) Merci, mon cher. Me voilà réinstallé. (*Il regarde sa montre.*) Mais il est temps que je vous quitte, si je ne veux pas me mettre en retard. [25]

VLADIMIR.—Le temps s'est arrêté.

POZZO (*mettant sa montre contre son oreille*).—Ne croyez pas ça. Monsieur, ne croyez pas ça. (*Il remet la montre dans sa poche.*) Tout ce que vous voulez, mais pas ça. [30]

ESTRAGON (*à Pozzo*).—Il voit tout en noir aujourd'hui.

POZZO.—Sauf le firmament. (*Il rit, content de ce bon mot.*) Patience, ça va venir. Mais je vois ce que c'est, vous n'êtes pas d'ici, vous ne savez pas encore ce que c'est que le crépuscule chez nous. Voulez-vous que je vous le dise? [35]

---

132. **comment m'y prendre.** how to go about it. (*Again Pozzo's dignity is in question.*)

(*Silence. Estragon et Vladimir se sont remis à examiner,*
celui-là sa chaussure, celui-ci son chapeau. Le chapeau de
Lucky tombe, sans qu'il s'en aperçoive.) Je veux bien vous
satisfaire. (*Jeu du vaporisateur.*) Un peu d'attention, s'il
vous plaît. (*Estragon et Vladimir continuent leur manège,*   **5**
Lucky dort à moitié. Pozzo fait claquer son fouet qui ne
rend qu'un bruit très faible.) Qu'est-ce qu'il a, ce fouet.
(*Il se lève et le fait claquer plus vigoureusement, finale-*
ment avec succès. Lucky sursaute. La chaussure d'Estragon,
le chapeau de Vladimir, leur tombent des mains. Pozzo   **10**
jette le fouet.) Il ne vaut plus rien, ce fouet. (*Il regarde son*
auditoire.) Qu'est-ce que je disais?

VLADIMIR.—Partons.

ESTRAGON.—Mais ne restez pas debout comme ça, vous
allez attraper la crève.[133]   **15**

POZZO.—C'est vrai. (*Il se rassied. A Estragon.*) Comment
vous appelez-vous?

ESTRAGON (*du tic au tac*).[134]—Catulle.

POZZO (*qui n'a pas écouté*).—Ah oui, la nuit. (*Lève la*
tête.) Mais soyez donc un peu plus attentifs, sinon nous   **20**
n'arriverons jamais à rien. (*Regarde le ciel.*) Regardez.
(*Tous regardent le ciel, sauf Lucky qui s'est remis à som-*
noler. Pozzo, s'en apercevant, tire sur la corde.) Veux-tu
regarder le ciel, porc! (*Lucky renverse la tête.*) Bon, ça
suffit. (*Ils baissent la tête.*) Qu'est-ce qu'il a de si extraordi-   **25**
naire? En tant que ciel? Il est pâle et lumineux, comme
n'importe quel ciel à cette heure de la journée. (*Un*
temps.) Dans ces latitudes. (*Un temps.*) Quand il fait beau.
(*Sa voix se fait chantante.*) Il y a une heure (*il regarde sa*
montre, ton prosaïque) environ (*ton à nouveau lyrique*),   **30**
après nous avoir versé depuis (*il hésite, le ton baisse*) mettons dix heures du matin (*le ton s'élève*) sans faiblir des
torrents de lumière rouge et blanche, il s'est mis à perdre

---

133. **attraper la crève**   (*slang*) to catch your death.
134. **du tic au tac**   like a flash; **Catulle** Catullus. (*We know*
     Estragon thinks of himself as a poet, but why the great lyric
     poet of Rome who died at thirty is open to conjecture.)

de son éclat, à pâlir (*geste des deux mains qui descendent par paliers*),[135] à pâlir, toujours un peu plus, un peu plus, jusqu'à ce que (*pause dramatique, large geste horizontal des deux mains qui s'écartent*) vlan! fini! il ne bouge plus! (*Silence.*) Mais (*il lève une main admonitrice*)—mais, der- 5 rière ce voile de douceur et de calme (*il lève les yeux au ciel, les autres l'imitent, sauf Lucky*) la nuit galope (*la voix se fait plus vibrante*) et viendra se jeter sur nous (*il fait claquer ses doigts*) pfft! comme ça (*l'inspiration le quitte*) au moment où nous nous y attendrons le moins. (*Silence.* 10 *Voix morne.*) C'est comme ça que ça se passe sur cette putain de terre.[136]

Long silence.

ESTRAGON.—Du moment qu'on est prévenu.[137]

VLADIMIR.—On peut patienter.   15

ESTRAGON.—On sait à quoi s'en tenir.

VLADIMIR.—Plus d'inquiétude à avoir.

ESTRAGON.—Il n'y a qu'à attendre.

VLADIMIR.—Nous en avons l'habitude. (*Il ramasse son chapeau, regarde dedans, le secoue, le remet.*)   20

POZZO.—Comment m'avez-vous trouvé? (*Estragon et Vladimir le regardent sans comprendre.*) Bon? Moyen? Passable? Quelconque? Franchement mauvais?

VLADIMIR (*comprenant le premier*).—Oh très bien, tout à fait bien.   25

POZZO (*à Estragon*).—Et vous, monsieur?

ESTRAGON (*accent anglais*).—Oh très bon, très très très bon.

POZZO (*avec élan*).—Merci, messieurs! (*Un temps.*) J'ai tant besoin d'encouragement. (*Il réfléchit.*) J'ai un peu 30 faibli sur la fin.[138] Vous n'avez pas remarqué?

135. **par paliers** by stages.
136. **putain de terre** bitch of an earth.
137. **Du moment . . . prevenu** So long as one knows; **On . . . tenir** One knows what to expect. (*There follows another typical vaudeville-type exchange of catch phrases.*)
138. **J'ai . . . la fin** I weakened a little toward the end.

VLADIMIR.—Oh, peut-être un tout petit peu.

ESTRAGON.—J'ai cru que c'était exprès.

POZZO.—C'est que ma mémoire est défectueuse.

> *Silence.*

ESTRAGON.—En attendant, il ne se passe rien.   5

POZZO (*désolé*).—Vous vous ennuyez?

ESTRAGON.—Plutôt.

POZZO (*à Vladimir*).—Et vous, monsieur?

VLADIMIR.—Ce n'est pas folichon.[139]

> *Silence. Pozzo se livre une bataille intérieure.*   10

POZZO.—Messieurs, vous avez été . . . (*il cherche*) . . .
convenables avec moi.

ESTRAGON.—Mais non!

VLADIMIR.—Quelle idée!

POZZO.—Mais si, mais si, vous avez été corrects. De sorte. 15
que je me demande . . . Que puis-je faire à mon tour pour
ces braves gens qui sont en train de s'ennuyer?

ESTRAGON.—Même un louis[140] serait le bienvenu.

VLADIMIR.—Nous ne sommes pas des mendiants.

POZZO.—Que puis-je faire, voilà ce que je me dis, pour 20
que le temps leur semble moins long? Je leur ai donné des
os, je leur ai parlé de choses et d'autres, je leur ai expliqué
le crépuscule, c'est une affaire entendue. Et j'en passe.[141]
Mais est-ce suffisant, voilà ce qui me torture, est-ce suffisant?

ESTRAGON.—Même cent sous.[142]   25

VLADIMIR.—Tais-toi!

ESTRAGON.—J'en prends le chemin.[143]

POZZO.—Est-ce suffisant? Sans doute. Mais je suis
large.[144] C'est ma nature. Aujourd'hui. Tant pis pour moi.
(*Il tire sur la corde. Lucky le regarde.*) Car je vais souffrir, 30
cela est certain. (*Sans se lever, il se penche et reprend son*

139. **Ce n'est pas folichon** It's not exactly a ball.
140. **louis** *A gold coin worth 20 francs.*
141. **c'est . . . entendue** that's a fact; **j'en passe** I've left a lot out.
142. **cent sous** five francs.
143. **J'en . . . chemin** = **Je prends le chemin de me taire.**
144. **je suis large** I'm liberal, generous.

fouet.) Que préférez-vous? Qu'il[145] danse, qu'il chante, qu'il récite, qu'il pense, qu'il . . .

ESTRAGON.—Qui?

POZZO.—Qui! Vous savez penser, vous autres?

VLADIMIR.—Il pense? 5

POZZO.—Parfaitement. A haute voix. Il pensait même très joliment autrefois, je pouvais l'écouter pendant des heures. Maintenant . . . (*Il frissonne.*) Enfin, tant pis. Alors, vous voulez qu'il nous pense quelque chose?

ESTRAGON.—J'aimerais mieux qu'il danse, ce serait plus 10 gai.

POZZO.—Pas forcément.

ESTRAGON.—N'est-ce pas, Didi, que ce serait plus gai?

VLADIMIR.—J'aimerais bien l'entendre penser.

ESTRAGON.—Il pourrait peut-être danser d'abord et pen- 15 ser ensuite? Si ce n'est pas trop lui demander.

VLADIMIR (*à Pozzo*).—Est-ce possible?

POZZO.—Mais certainement, rien de plus facile. C'est d'ailleurs l'ordre naturel. (*Rire bref.*)

VLADIMIR.—Alors qu'il danse. 20

Silence.

POZZO (*à Lucky*).—Tu entends?

ESTRAGON.—Il ne refuse jamais?

POZZO.—Je vous expliquerai ça tout à l'heure. (*A Lucky.*) Danse, pouacre![146] 25

Lucky dépose valise et panier, avance un peu vers la rampe, se tourne vers Pozzo. Estragon se lève pour mieux voir. Lucky danse. Il s'arrête.

ESTRAGON.—C'est tout?

POZZO.—Encore! 30

Lucky répète les mêmes mouvements, s'arrête.

ESTRAGON.—Eh ben, mon cochon![147] (*Il imite les mouve-*

---

145. **il** Lucky.

146. **Danse, pouacre!** Dance, misery!

147. **Eh ben, mon cochon!** *A popular expression which denotes a kind of ironic pity; it can also denote admiration, according to the tone used.*

ments de Lucky.) J'en ferais autant. (*Il imite, manque de tomber.*) Avec un peu d'entraînement.

VLADIMIR.—Il est fatigué.

POZZO.—Autrefois, il dansait la farandole, l'almée, le branle, la gigue, le fandango et même le hornpipe.[148] Il bondissait. Maintenant il ne fait plus que ça. Savez-vous comment il l'appelle?

ESTRAGON.—La mort du lampiste.[149]

VLADIMIR.—Le cancer des vieillards.

POZZO.—La danse du filet. Il se croit empêtré dans un filet.[150]

VLADIMIR (*avec des tortillements d'esthète*).[151]—Il y a quelque chose . . .

Lucky s'apprête à retourner vers ses fardeaux.

POZZO (*comme à un cheval*).—Woooa!

Lucky s'immobilise.

ESTRAGON.—Il ne refuse jamais?

POZZO.—Je vais vous expliquer ça. (*Il fouille dans ses poches.*) Attendez. (*Il fouille.*) Qu'est-ce que j'ai fait de ma poire?[152] (*Il fouille.*) Ça alors! (*Il lève une tête ahurie. D'une voix mourante.*) J'ai perdu mon pulvérisateur!

ESTRAGON (*d'une voix mourante*).—Mon poumon gauche est très faible. (*Il tousse faiblement. D'une voix tonitruante.*[153]) Mais mon poumon droit est en parfait état!

POZZO (*voix normale*).—Tant pis, je m'en passerai. Qu'est-ce que je disais. (*Il réfléchit.*) Attendez! (*Réfléchit.*) Ça alors! (*Il lève la tête.*) Aidez-moi!

ESTRAGON.—Je cherche.

VLADIMIR.—Moi aussi.

148. **la farandole, le branle, la gigue, le fandango** *and* **le** *hornpipe are all popular regional dances;* **l'almée** *Egyptian dancer who accompanies her dance with improvised songs.*
149. **la mort du lampiste** (*sardonic*) the death of the down and out. [**Lampiste** lampmaker; *the term has come to mean the "fall guy."*]
150. **filet** net; **empêtré** entangled.
151. **tortillements d'esthète** squirming like an esthetician.
152. **poire = pulvérisateur.**
153. **tonitruante** stentorian, like thunder. (*He is mocking Pozzo.*)

Pozzo.—Attendez!

Tous les trois se découvrent[154] *simultanément, portent la main au front, se concentrent, crispés.*[155] *Long silence.*

Estragon (*triomphant*).—Ah!

Vladimir.—Il a trouvé.　　　　　　　　　　　　　　5

Pozzo (*impatient*).—Et alors?

Estragon.—Pourquoi ne dépose-t-il pas ses bagages?

Vladimir.—Mais non!

Pozzo.—Vous êtes sûr?

Vladimir.—Mais voyons, vous nous l'avez déjà dit.　　10

Pozzo.—Je vous l'ai déjà dit?

Estragon.—Il nous l'a déjà dit?

Vladimir.—D'ailleurs il les a déposés.

Estragon (*coup d'œil vers Lucky*).—C'est vrai. Et après?

Vladimir.—Puisqu'il a déposé ses bagages, il est im- 15
possible que nous ayons demandé pourquoi il ne les dépose
pas.

Pozzo.—Fortement raisonné![156]

Estragon.—Et pourquoi les a-t-il déposés?

Pozzo.—Voilà.[157]　　　　　　　　　　　　　　20

Vladimir.—Afin de danser.

Estragon.—C'est vrai.

Pozzo (*levant la main*).—Attendez! (*Un temps.*) Ne
dites rien! (*Un temps.*) Ça y est. (*Il remet son chapeau.*)
J'y suis.[158]　　　　　　　　　　　　　　　　25

Estragon et Vladimir remettent leurs chapeaux.

Vladimir.—Il a trouvé.

Pozzo.—Voici comment ça se passe.[159]

Estragon.—De quoi s'agit-il?

Pozzo.—Vous allez voir. Mais c'est difficile à dire.　30

Vladimir.—Ne le dites pas.

Pozzo.—Oh! n'ayez pas peur, j'y arriverai. Mais je veux

154. **se découvrent**　take off their hats.
155. **crispés**　contorted (*by the effort of concentration*).
156. **fortement raisonné**　stoutly reasoned.
157. **voilà**　Why indeed? (*Repeats Estragon's question.*)
158. **ça y est. J'y suis.**　I've got it.
159. **Voici . . . passe**　Here's how it is.

être bref, car il se fait tard. Et le moyen d'être bref et en même temps clair, je vous le demande. Laissez-moi réfléchir.

ESTRAGON.—Soyez long, ce sera moins long.

POZZO (*ayant réfléchi*).—Ça va aller. Voyez-vous, de deux ⁵ choses l'une.[160]

ESTRAGON.—C'est le délire.

POZZO.—Ou je lui demande quelque chose, de danser, chanter, penser . . .

VLADIMIR.—Ça va, ça va, nous avons compris. ¹⁰

POZZO.—Ou je ne lui demande rien. Bon. Ne m'interrompez pas. Mettons que[161] je lui demande de . . . danser, par exemple. Qu'est-ce qui se produit?[162]

ESTRAGON.—Il se met à siffler.

POZZO (*fâché*).—Je ne dirai plus rien. ¹⁵

VLADIMIR.—Je vous en prie, continuez.

POZZO.—Vous m'interrompez tout le temps.

VLADIMIR.—Continuez, continuez, c'est passionnant.[163]

POZZO.—Insistez un peu.

ESTRAGON (*joignant les mains*).—Je vous en supplie, ²⁰ Monsieur, poursuivez votre relation.[164]

POZZO.—Où en étais-je?

VLADIMIR.—Vous lui demandez de danser.

ESTRAGON.—De chanter.

POZZO.—C'est ça, je lui demande de chanter. Qu'est-ce ²⁵ qui se passe? Ou bien il chante, comme je le lui avais demandé; ou bien, au lieu de chanter, comme je le lui avais demandé, il se met à danser, par exemple, ou à penser, ou à . . .

VLADIMIR.—C'est clair, c'est clair, enchaînez.[165] ³⁰

ESTRAGON.—Assez!

160. **de deux choses l'une** (it's got to be) one of two things.
161. **Mettons que** *See note 97.*
162. **Qu'est-ce qui se produit?** What happens?
163. **passionnant** fascinating.
164. **poursuivez votre relation** continue your story.
165. **enchaînez** go on.

VLADIMIR.—Pourtant ce soir, il fait tout ce que vous lui demandez.

POZZO.—C'est pour m'attendrir, pour que je le garde.

ESTRAGON.—Tout ça c'est des histoires.

VLADIMIR.—Ce n'est pas sûr.   5

ESTRAGON.—Tout à l'heure il va nous dire qu'il n'y avait pas un mot de vrai là-dedans.

VLADIMIR (à Pozzo).—Vous ne protestez pas?

POZZO.—Je suis fatigué.

Silence.   10

ESTRAGON.—Rien ne se passe, personne ne vient, personne ne s'en va, c'est terrible.

VLADIMIR (à Pozzo).—Dites-lui de penser.

POZZO.—Donnez-lui son chapeau.

VLADIMIR.—Son chapeau?   15

POZZO.—Il ne peut pas penser sans chapeau.

VLADIMIR (à Estragon).—Donne-lui son chapeau.

ESTRAGON.—Moi! Après le coup qu'il m'a fait![166] Jamais!

VLADIMIR.—Je vais le lui donner moi. (*Il ne bouge pas.*)

ESTRAGON.—Qu'il aille le chercher.   20

POZZO.—Il vaut mieux le lui donner.

VLADIMIR.—Je vais le lui donner.

Il ramasse le chapeau et le tend à Lucky à bout de bras.[167] Lucky ne bouge pas.

POZZO.—Il faut le lui mettre.   25

ESTRAGON (à Pozzo).—Dites-lui de le prendre.

POZZO.—Il vaut mieux le lui mettre.

VLADIMIR.—Je vais le lui mettre.

Il contourne[168] Lucky avec précaution, s'en approche doucement par derrière, lui met le chapeau sur la tête et 30 *recule vivement. Lucky ne bouge pas. Silence.*

ESTRAGON.—Qu'est-ce qu'il attend?

POZZO.—Eloignez-vous. (*Estragon et Vladimir s'éloignent de Lucky. Pozzo tire sur la corde. Lucky le regarde.*) Pense,

166. **Après . . . fait!** After what he did to me!
167. **à bout de bras** at arm's length.
168. **contourne** walks around.

porc! (*Un temps. Lucky se met à danser.*) Arrête! (*Lucky s'arrête.*) Avance! (*Lucky va vers Pozzo.*) Là! (*Lucky s'arrête.*) Pense! (*Un temps.*)

LUCKY.—D'autre part, pour ce qui est . . .[169]

POZZO.—Arrête! (*Lucky se tait.*) Arrière! (*Lucky recule.*) ⁵
Là! (*Lucky s'arrête.*) Hue! (*Lucky se tourne vers le public.*) Pense!

LUCKY (*débit*[170] *monotone*).—Etant donné l'existence telle qu'elle jaillit[171] des récents travaux publics de Poinçon et Wattmann[172] d'un Dieu personnel quaquaquaqua ¹⁰ à barbe blanche quaqua hors du temps de l'étendue qui du haut de sa divine apathie sa divine athambie[173] sa divine aphasie[174] nous aime bien à quelques exceptions près on ne sait pourquoi mais ça viendra et souffre à l'instar de la divine Miranda[175] avec ceux qui sont on ne sait pour- ¹⁵ quoi mais on a le temps dans le tourment dans les feux dont les feux les flammes pour peu que ça dure[176] encore un peu et qui peut en douter mettront à la fin le feu aux poutres[177] assavoir[178] porteront l'enfer aux nues si bleues par moments encore aujourd'hui et calmes si calmes d'un ²⁰ calme qui pour être intermittent n'en est pas moins le bienvenu mais n'anticipons pas et attendu d'autre part

169. **D'autre . . . est**   On the other hand with regard to . . .
170. **débit**   delivery.
171. **telle qu'elle jaillit**   as uttered forth.
172. **Poinçon et Wattman**   *Fictitious names for fictitious scholars* [**poinçon**, (perforating) punch; **wattman**, streetcar or locomotive engineer]. (*The whole speech is a take-off on erudite philosophical jargon delivered without a pause and running down like a broken record, a weird medley of fragmentary platitudes.*)
173. **athambie**   athambia, inability to feel strong emotions like fear or astonishment.
174. **aphasie**   aphasia, inability to speak.
175. **à l'instar . . . Miranda**   like the divine Miranda. (*Miranda, daughter of Prospero in Shakespeare's* Tempest, *who is a sweet and pure young thing.*)
176. **pour peu que ça dure**   provided it lasts.
177. **poutres**   beams. (*A play on the expression* **mettre le feu aux poudres**, *to set the powder on fire, that is, to create a stir.*)
178. **assavoir = à savoir**   (namely; that is).

qu'à la suite des recherches inachevées n'anticipons pas des recherches inachevées mais néanmoins couronnées par l'Acacacacadémie d'Anthropopopométrie de Berne en Bresse de Testu et Conard[179] il est établi sans autre possibilité d'erreur que celle afférente[180] aux calculs humains 5

Premiers murmures d'Estragon et Vladimir. Souffrances accrues de Pozzo-

qu'à la suite des recherches inachevées inachevées de Testu et Conard il est établi tabli tabli ce qui suit qui suit qui suit assavoir mais n'anticipons pas on ne sait pourquoi à la suite des travaux de Poinçon et Wattmann il apparaît aussi clairement si clairement qu'en vue des labeurs de Fartov 10 et Belcher inachevés inachevés on ne sait pourquoi de Testu et Conard inachevés inachevés il apparaît que l'homme contrairement à l'opinion contraire que l'homme en Bresse de Testu et Conard que l'homme enfin bref que l'homme en bref enfin malgré les progrès de l'alimentation 15 et de l'élimination des déchets est en train de maigrir et en même temps parallèlement on ne sait pourquoi malgré l'essor[181] de la culture physique de la pratique des sports tels tels tels le tennis le football la course et à pied et à bicyclette la natation l'équitation l'aviation la conation le 20

Estragon et Vladimir se calment, reprennent l'écoute. Pozzo s'agite de plus en plus, fait entendre des gémissements.

tennis le camogie[182] le patinage et sur glace et sur asphalte le tennis l'aviation les sports les sports d'hiver d'été d'automne d'automne le tennis sur gazon sur sapin et sur terre battue l'aviation le tennis le hockey sur terre sur mer et dans les airs la pénicilline et succédanés[183] bref je reprends 25 en même temps parallèlement de rapetisser on ne sait pourquoi malgré le tennis je reprends l'aviation le golf tant à neuf qu'à dix-huit trous le tennis sur glace bref on ne sait pourquoi en Seine Seine-et-Oise[184] Seine-et-Marne Marne-et-Oise assavoir en même temps parallèlement on ne sait 30

179. **Berne** . . . **Conard** *Fictitious and comical names; also below* **Fartov** *and* **Belcher.**
180. **afférente** *relating to.*
181. **l'essor** *spectacular rise.*
182. **camogie** *Word invented by the author.*
183. **succédanés** *substitutes.*
184. **Seine** . . . **Seine-et-Oise** *Departments (administrative divisions) around Paris. (There is no* **Marne-et-Oise.***)*

pourquoi de maigrir rétrécir je reprends Oise Marne bref
la perte sèche par tête de pipe[185] depuis la mort de Voltaire
étant de l'ordre de deux doigts cent grammes par tête de
pipe environ en moyenne à peu près chiffres ronds bon
poids déshabillé en Normandie on ne sait pourquoi bref ⁵
enfin peu importe les faits sont là et considérant d'autre
part ce qui est encore plus grave qu'il ressort ce qui est
encore plus grave qu'à la lumière la lumière des expéri-

Exclamations
de Vladimir
et Estragon.
Pozzo se léve
d'un bond,
tire sur la
corde Tous
crient. Lucky
tire sur la
corde, trébu-
che, hurle.
Tous se jettent
sur Lucky
qui se débat,
hurle son
texte.

ences en cours[186] de Steinweg et Petermann il ressort ce qui
est encore plus grave qu'il ressort ce qui est encore ¹⁰
plus grave à la lumière la lumière des expériences aban-
données de Steinweg et Petermann qu'à la campagne à
la montagne et au bord de la mer et des cours et d'eau
et de feu l'air est le même et la terre assavoir l'air et
la terre par les grands froids l'air et la terre faits pour les ¹⁵
pierres par les grands froids hélas au septième de leur ère
l'éther la terre la mer pour les pierres par les grands fonds
les grands froids sur mer sur terre et dans les airs peuchère[187] je reprends on ne sait pourquoi malgré le tennis les
faits sont là on ne sait pourquoi je reprends au suivant bref ²⁰
enfin hélas au suivant pour les pierres qui peut en douter
je reprends mais n'anticipons pas je reprends la tête en
même temps parallèlement on ne sait pourquoi malgré le
tennis au suivant la barbe les flammes les pleurs les pierres
si bleues si calmes hélas la tête la tête la tête la tête en ²⁵
Normandie malgré le tennis les labeurs abandonnés inachevés plus grave les pierres bref je reprends hélas hélas
abandonnés inachevés la tête la tête en Normandie malgré
le tennis la tête hélas les pierres Conard Conard . . .
(*Mêlée. Lucky pousse encore quelques vociférations.*) ³⁰
Tennis! . . . Les pierres! . . . Si calmes! . . . Conard!
. . . Inachevés! . . .
Pozzo.—Son chapeau!

---

185. **tête de pipe** *Vernacular for grotesque individual.*
186. **en cours** current, in progress.
187. **peuchère** *Exclamation used by the peasants in southern France;
    more or less equivalent to "mon Dieu."*

Vladimir s'empare du chapeau de Lucky qui se tait et tombe. Grand silence. Halètement des vainqueurs.

ESTRAGON.—Je suis vengé.

Vladimir contemple le chapeau de Lucky, regarde dedans.   5

POZZO.—Donnez-moi ça! (*Il arrache le chapeau des mains de Vladimir, le jette par terre, saute dessus.*) Comme ça[188] il ne pensera plus!

VLADIMIR.—Mais va-t-il pouvoir s'orienter?

POZZO.—C'est moi qui l'orienterai. (*Il donne des coups* 10 *de pied à Lucky.*) Debout! Porc!

ESTRAGON.—Il est peut-être mort.

VLADIMIR.—Vous allez le tuer.

POZZO.—Debout! Charogne! (*Il tire sur la corde, Lucky glisse un peu. A Estragon et Vladimir.*) Aidez-moi.   15

VLADIMIR.—Mais comment faire?

POZZO.—Soulevez-le!

Estragon et Vladimir mettent Lucky debout, le soutiennent un moment, puis le lâchent. Il retombe.

ESTRAGON.—Il fait exprès.   20

POZZO.—Il faut le soutenir. (*Un temps.*) Allez, allez, soulevez-le!

ESTRAGON.—Moi j'en ai marre.[189]

VLADIMIR.—Allons, essayons encore une fois.

ESTRAGON.—Pour qui nous prend-il?   25

VLADIMIR.—Allons.

Ils mettent Lucky debout, le soutiennent.

POZZO.—Ne le lâchez pas! (*Estragon et Vladimir chancellent.*) Ne bougez pas! (*Pozzo va prendre la valise et le panier et les apporte vers Lucky.*) Tenez-le bien! (*Il met la* 30 *valise dans la main de Lucky qui la lâche aussitôt.*) Ne le lâchez pas! (*Il recommence. Peu à peu, au contact de la valise, Lucky reprend ses esprits[190] et ses doigts finissent*

188. **Comme ça**   Now.
189. **j'en ai marre**   I'm fed up.
190. **reprend ses esprits**   recovers his senses.

par[191] *se resserrer autour de la poignée.*)[192] Tenez-le toujours! (*Même jeu avec le panier.*) Voilà, vous pouvez le lâcher. (*Estragon et Vladimir s'écartent de Lucky qui trébuche, chancelle, ploie, mais reste debout, valise et panier à la main. Pozzo recule, fait claquer son fouet.*) En avant! 5 (*Lucky avance.*) Arrière! (*Lucky recule.*) Tourne! (*Lucky se retourne.*) Ça y est, il peut marcher. (*Se tournant vers Estragon et Vladimir.*) Merci, Messieurs, et laissez-moi vous —(*il fouille dans ses poches*)—vous souhaiter—(*il fouille*)— vous souhaiter—(*il fouille*)—mais où ai-je donc mis ma 10 montre? (*Il fouille.*) Ça alors! (*Il lève une tête défaite.*[193]) Une véritable savonnette. Messieurs, à secondes trotteuses.[194] C'est mon pépé[195] qui me l'a donnée. (*Il fouille.*) Elle est peut-être tombée. (*Il cherche par terre, ainsi que Vladimir et Estragon. Pozzo retourne de son pied les restes* 15 *du chapeau de Lucky.*) Ça par exemple!

VLADIMIR.—Elle est peut-être dans votre gousset.

POZZO.—Attendez. (*Il se plie en deux, approche sa tête de son ventre, écoute.*) Je n'entends rien! (*Il leur fait signe de s'approcher.*) Venez voir. (*Estragon et Vladimir vont* 20 *vers lui, se penchent sur son ventre. Silence.*) Il me semble qu'on devrait entendre le tic-tac.

VLADIMIR.—Silence!

Tous écoutent, penchés.

ESTRAGON.—J'entends quelque chose. 25

POZZO.—Où?

VLADIMIR.—C'est le cœur.

POZZO (*déçu*).—Merde alors!

VLADIMIR.—Silence!

Ils écoutent. 30

ESTRAGON.—Peut-être qu'elle s'est arrêtée.

Ils se redressent.

191. **finissent par** finally.
192. **poignée** handle.
193. **défaite** dishevelled.
194. **savonnette** half hunter (*watch*); **secondes trotteuses** second hands.
195. **pépé** grandpa.

Pozzo.—Lequel de vous sent si mauvais?

Estragon.—Lui pue de la bouche, moi des pieds.

Pozzo.—Je vais vous quitter.

Estragon.—Et votre savonnette?

Pozzo.—J'ai dû la laisser au château.   5

Estragon.—Alors adieu.

Pozzo.—Adieu.

Vladimir.—Adieu.

Estragon.—Adieu.

                          Silence. Personne ne bouge.   10

Vladimir.—Adieu.

Pozzo.—Adieu.

Estragon.—Adieu.

                                          Silence.

Pozzo.—Et merci.   15

Vladimir.—Merci à vous.

Pozzo.—De rien.

Estragon.—Mais si.

Pozzo.—Mais non.

Vladimir.—Mais si.   20

Estragon.—Mais non.

                                          Silence.

Pozzo.—Je n'arrive pas . . . (*il hésite*) . . . à partir.

Estragon.—C'est la vie.

Pozzo se retourne, s'éloigne de Lucky, vers la coulisse, 25
filant la corde au fur et à mesure.[196]

    Vladimir.—Vous allez dans le mauvais sens.[197]

    Pozzo.—Il me faut de l'élan.[198] (*Arrivé au bout de la
corde, c'est-à-dire dans la coulisse, il s'arrête, se retourne,
crie.*) Ecartez-vous![199] (*Estragon et Vladimir se rangent au* 30
fond,[200] *regardent vers Pozzo. Bruit de fouet.*) En avant!
(*Lucky ne bouge pas.*)

196. **filant . . . mesure**   paying out the rope as he goes.
197. **mauvais sens**   wrong direction.
198. **Il . . . élan**   I need a running start.
199. **Ecartez-vous**   Stand back!
200. **se rangent au fond**   move back.

ESTRAGON.—En avant!
VLADIMIR.—En avant!

Bruit de fouet. Lucky s'ébranle.[201]

POZZO.—Plus vite! (*Il sort de la coulisse, traverse la scène
à la suite de Lucky. Estragon et Vladimir se découvrent, agi-* 5
tent la main. Lucky sort. Pozzo fait claquer corde et fouet.)
Plus vite! Plus vite! (*Au moment de disparaître à son tour,
Pozzo s'arrête, se retourne. La corde se tend.*[202] *Bruit de
Lucky qui tombe.*) Mon pliant! (*Vladimir va chercher le
pliant et le donne à Pozzo qui le jette vers Lucky.*) Adieu! 10
ESTRAGON, VLADIMIR (*agitant la main*).—Adieu! Adieu!
POZZO.—Debout! Porc! (*Bruit de Lucky qui se lève.*)
En avant! (*Pozzo sort. Bruit de fouet.*) En avant! Adieu!
Plus vite! Porc! Hue! Adieu!

Silence. 15

VLADIMIR.—Ça a fait passer le temps.
ESTRAGON.—Il serait passé sans ça.
VLADIMIR.—Oui. Mais moins vite.

Un temps.

ESTRAGON.—Qu'est-ce qu'on fait maintenant? 20
VLADIMIR.—Je ne sais pas.
ESTRAGON.—Allons-nous-en.
VLADIMIR.—On ne peut pas.
ESTRAGON.—Pourquoi?
VLADIMIR.—On attend Godot. 25
ESTRAGON.—C'est vrai.

Un temps.

VLADIMIR.—Ils ont beaucoup changé.
ESTRAGON.—Qui?
VLADIMIR.—Ces deux-là. 30
ESTRAGON.—C'est ça, faisons un peu de conversation.
VLADIMIR.—N'est-ce pas qu'ils ont beaucoup changé?
ESTRAGON.—C'est probable. Il n'y a que nous qui n'y
arrivons pas.
VLADIMIR.—Probable? C'est certain. Tu les as bien vus? 35

201. **s'ébranle** moves off.
202. **se tend** tautens.

ESTRAGON.—Si tu veux. Mais je ne les connais pas.

VLADIMIR.—Mais si, tu les connais.

ESTRAGON.—Mais non.

VLADIMIR.—Nous les connaissons, je te dis. Tu oublies tout. (*Un temps.*) A moins que ce ne soient pas les mêmes. 5

ESTRAGON.—La preuve, ils ne nous ont pas reconnus.

VLADIMIR.—Ça ne veut rien dire. Moi aussi j'ai fait semblant[203] de ne pas les reconnaître. Et puis nous, on ne nous reconnaît jamais.

ESTRAGON.—Assez. Ce qu'il faut[204]—Aïe! (*Vladimir ne* 10 *bronche pas.*) Aïe!

VLADIMIR.—A moins que ce ne soient pas les mêmes.

ESTRAGON.—Didi! C'est l'autre pied. (*Il se dirige en boitillant vers l'endroit où il était assis au lever du rideau.*)

VOIX EN COULISSE.—Monsieur! 15

Estragon s'arrête. Tous les deux regardent en direction de la voix.

ESTRAGON.—Ça recommence.

VLADIMIR.—Approche, mon enfant.

Entre un jeune garçon, craintivement. Il s'arrête. 20

GARÇON.—Monsieur Albert?

VLADIMIR.—C'est moi.

ESTRAGON.—Qu'est-ce que tu veux?

VLADIMIR.—Avance.

Le garçon ne bouge pas. 25

ESTRAGON (*avec force*).—Avance, on te dit!

Le garçon avance craintivement, s'arrête.

VLADIMIR.—Qu'est-ce que c'est?

GARÇON.—C'est Monsieur Godot—(*Il se tait.*)

VLADIMIR.—Evidemment. (*Un temps.*) Approche. 30

Le garçon ne bouge pas.

ESTRAGON (*avec force*).—Approche, on te dit! (*Le garçon avance craintivement, s'arrête.*) Pourquoi tu viens si tard?

VLADIMIR.—Tu as un message de Monsieur Godot?

GARÇON.—Oui Monsieur. 35

---

203. **j'ai fait semblant** I pretended.
204. **Assez . . . faut—** Forget it. What we need—

VLADIMIR.—Eh bien, dis-le.

ESTRAGON.—Pourquoi tu viens si tard?

Le garçon les regarde l'un après l'autre, ne sachant à qui répondre.

VLADIMIR (*à Estragon*).—Laisse-le tranquille.

ESTRAGON (*à Vladimir*).—Fous-moi la paix[205] toi. (*Avançant, au garçon.*) Tu sais l'heure qu'il est?

GARÇON (*reculant*).—Ce n'est pas ma faute, Monsieur!

ESTRAGON.—C'est la mienne peut-être.

GARÇON.—J'avais peur, Monsieur.

ESTRAGON.—Peur de quoi? De nous? (*Un temps.*) Réponds!

VLADIMIR.—Je vois ce que c'est, ce sont les autres qui lui ont fait peur.

ESTRAGON.—Il y a combien de temps que tu es là?

GARÇON.—Il y a un moment, Monsieur.

VLADIMIR.—Tu as eu peur du fouet?

GARÇON.—Oui Monsieur.

VLADIMIR.—Des cris?

GARÇON.—Oui Monsieur.

VLADIMIR.—Des deux messieurs?

GARÇON.—Oui Monsieur.

VLADIMIR.—Tu les connais.

GARÇON.—Non Monsieur.

VLADIMIR.—Tu es d'ici?

GARÇON.—Oui Monsieur.

ESTRAGON.—Tout ça c'est des mensonges! (*Il prend le garçon par le bras, le secoue.*) Dis-nous la vérité!

GARÇON (*tremblant*).—Mais c'est la vérité, Monsieur.

VLADIMIR.—Mais laisse-le donc tranquille! Qu'est-ce que tu as? (*Estragon lâche le garçon, recule, porte ses mains au visage. Vladimir et le garçon le regardent. Estragon découvre son visage, décomposé.*) Qu'est-ce que tu as?

ESTRAGON.—Je suis malheureux.

205. **Fous-moi la paix = Laisse moi tranquille** (fous *not to be used in polite company*).

VLADIMIR.—Sans blague![206] Depuis quand?

ESTRAGON.—J'avais oublié.

VLADIMIR.—La mémoire nous joue de ces tours.[207] *(Estragon veut parler, y renonce, va en boitillant s'asseoir et commence à se déchausser. Au garçon.)* Eh bien? 5

GARÇON.—Monsieur Godot . . .

VLADIMIR *(l'interrompant).*—Je t'ai déjà vu, n'est-ce pas?

GARÇON.—Je ne sais pas, Monsieur.

VLADIMIR.—Tu ne me connais pas?

GARÇON.—Non Monsieur. 10

VLADIMIR.—Tu n'es pas venu hier?

GARÇON.—Non Monsieur.

VLADIMIR.—C'est la première fois que tu viens?

GARÇON.—Oui Monsieur.

Silence. 15

VLADIMIR.—On dit ça. *(Un temps.)* Eh bien, continue.

GARÇON *(d'un trait).*—Monsieur Godot m'a dit de vous dire qu'il ne viendra pas ce soir mais sûrement demain.

VLADIMIR.—C'est tout?

GARÇON.—Oui Monsieur. 20

VLADIMIR.—Tu travailles pour Monsieur Godot?

GARÇON.—Oui Monsieur.

VLADIMIR.—Qu'est-ce que tu fais?

GARÇON.—Je garde les chèvres, Monsieur.

VLADIMIR.—Il est gentil avec toi? 25

GARÇON.—Oui Monsieur.

VLADIMIR.—Il ne te bat pas?

GARÇON.—Non Monsieur, pas moi.

VLADIMIR.—Qui est-ce qu'il bat?

GARÇON.—Il bat mon frère, Monsieur. 30

VLADIMIR.—Ah! tu as un frère?

GARÇON.—Oui Monsieur.

VLADIMIR.—Qu'est-ce qu'il fait?

GARÇON.—Il garde les brebis, Monsieur.

VLADIMIR.—Et pourquoi il ne te bat pas, toi? 35

206. **sans blague!** you don't say!
207. **nous joue de ces tours** plays such tricks on us.

GARÇON.—Je ne sais pas, Monsieur.

VLADIMIR.—Il doit t'aimer.

GARÇON.—Je ne sais pas, Monsieur.

VLADIMIR.—Il te donne assez à manger? (*Le garçon hésite.*) Est-ce qu'il te donne bien à manger?   5

GARÇON.—Assez bien, Monsieur.

VLADIMIR.—Tu n'es pas malheureux? (*Le garçon hésite.*) Tu entends?

GARÇON.—Oui Monsieur.

VLADIMIR.—Et alors?   10

GARÇON.—Je ne sais pas, Monsieur.

VLADIMIR.—Tu ne sais pas si tu es malheureux ou non?

GARÇON.—Non Monsieur.

VLADIMIR.—C'est comme moi. (*Un temps.*) Où c'est que tu couches?   15

GARÇON.—Dans le grenier, Monsieur.

VLADIMIR.—Avec ton frère?

GARÇON.—Oui Monsieur.

VLADIMIR.—Dans le foin?

GARÇON.—Oui Monsieur.   20

> *Un temps.*

VLADIMIR.—Bon, va-t-en.

GARÇON.—Qu'est-ce que je dois dire à Monsieur Godot, Monsieur?

VLADIMIR—Dis lui . . . (*Il hésite.*) Dis-lui que tu nous   25 as vus. (*Un temps.*) Tu nous a bien vus, n'est-ce pas?

GARÇON.—Oui Monsieur. (*Il recule, hésite, se retourne et sort en courant.*)

La lumière se met brusquement à baisser. En un instant il fait nuit. La lune se lève, au fond, monte dans le 30 *ciel, s'immobilise, baignant la scène d'une clarté argentée.*

VLADIMIR.—Enfin! (*Estragon se lève et va vers Vladimir, ses deux chaussures à la main. Il les dépose près de la rampe, se redresse et regarde la lune.*) Qu'est-ce que tu fais?

ESTRAGON.—Je fais comme toi, je regarde la blafarde.[208] 35

208. **la blafarde**   the pale one (*moon*).

VLADIMIR.—Je veux dire[209] avec tes chaussures.

ESTRAGON.—Je les laisse là. (*Un temps.*) Un autre viendra, aussi . . . aussi . . . que moi, mais chaussant moins grand,[210] et elles feront son bonheur.

VLADIMIR.—Mais tu ne peux pas aller pieds nus.   5

ESTRAGON.—Jésus l'a fait.

VLADIMIR.—Jésus! Qu'est-ce que tu vas chercher là![211] Tu ne vas tout de même pas te comparer à lui!

ESTRAGON.—Toute ma vie je me suis comparé à lui.

VLADIMIR.—Mais là-bas il faisait chaud! Il faisait bon! 10

ESTRAGON.—Oui. Et on crucifiait vite.

                                        Silence.

VLADIMIR.—Nous n'avons plus rien à faire ici.

ESTRAGON.—Ni ailleurs.

VLADIMIR.—Voyons, Gogo, ne sois pas comme ça. De- 15 main tout ira mieux.

ESTRAGON.—Comment ça?

VLADIMIR.—Tu n'as pas entendu ce que le gosse[212] a dit?

ESTRAGON.—Non.   20

VLADIMIR.—Il a dit que Godot viendra sûrement de- main. (*Un temps.*) Ça ne te dit rien?

ESTRAGON.—Alors il n'y a qu'à attendre ici.

VLADIMIR.—Tu es fou! Il faut s'abriter. (*Il prend Estra- gon par le bras.*) Viens. (*Il le tire. Estragon cède d'abord,* 25 *puis résiste. Ils s'arrêtent.*)

ESTRAGON (*regardant l'arbre*).—Dommage qu'on n'ait pas un bout de corde.

VLADIMIR.—Viens. Il commence à faire froid. (*Il le tire. Même jeu.*) 30

ESTRAGON.—Fais-moi penser[213] d'apporter une corde de- main.

209. **Je veux dire** I mean.
210. **chaussant moins grand** with smaller feet [*literally,* wearing a smaller size shoe].
211. **Qu'est-ce . . . là!** What's that got to do with it?
212. **gosse** (*vernacular*) kid, boy.
213. **Fais-moi penser** Remind me.

VLADIMIR.—Oui. Viens. (*Il le tire. Même jeu.*)

ESTRAGON.—Ça fait combien de temps que nous sommes tout le temps ensemble?

VLADIMIR.—Je ne sais pas. Cinquante ans peut-être.

ESTRAGON.—Tu te rappelles le jour où je me suis jeté [5] dans la Durance?[214]

VLADIMIR.—On faisait les vendanges.

ESTRAGON.—Tu m'as repêché.[215]

VLADIMIR.—Tout ça est mort et enterré.

ESTRAGON.—Mes vêtements ont séché au soleil. [10]

VLADIMIR.—N'y pense plus, va. Viens. (*Même jeu.*)

ESTRAGON.—Attends.

VLADIMIR.—J'ai froid.

ESTRAGON.—Je me demande si on n'aurait pas mieux fait de rester seuls, chacun de son côté. (*Un temps.*) On n'était [15] pas fait pour le même chemin.

VLADIMIR (*sans se fâcher*).—Ce n'est pas sûr.

ESTRAGON.—Non, rien n'est sûr.

VLADIMIR.—On peut toujours se quitter, si tu crois que ça vaut mieux. [20]

ESTRAGON.—Maintenant ce n'est plus la peine.

Silence.

VLADIMIR.—C'est vrai, maintenant ce n'est plus la peine.

Silence.

ESTRAGON.—Alors on y va? [25]

VLADIMIR.—Allons-y.

Ils ne bougent pas.

RIDEAU

214. **la Durance** *River in southeastern France, a tributary of the Rhône.* (*This episode seems to refer to the Vaucluse, where Beckett was during the war.*)

215. **Tu m'as repêché** You fished me out.

ACTE DEUXIEME

Lendemain. Même heure. Même endroit.

Chaussures d'Estragon près de la rampe, talons joints, bouts écartés.[216] *Chapeau de Lucky à la même place.*

L'arbre est couvert de feuilles.

Entre Vladimir, vivement. Il s'arrête et regarde longue- 5
ment l'arbre. Puis brusquement il se met à arpenter vive-
ment la scène dans tous les sens. Il s'immobilise à nouveau
devant les chaussures, se baisse, en ramasse une, l'examine,
la renifle, la remet soigneusement à sa place. Il reprend son
va-et-vient précipité. Il s'arrête près de la coulisse droite, 10
regarde longuement au loin, la main en écran devant les
yeux. Va et vient. S'arrête près de la coulisse gauche,
même jeu. Va et vient. S'arrête brusquement, joint les
mains sur la poitrine, rejette la tête en arrière et se met à
chanter à tue-tête.[217]   15

VLADIMIR:
    Un chien vint dans . . .

216. **talons . . . écartés** heels together, toes apart
217. **à tue-tête** at the top of his lungs.

Ayant commencé trop bas, il s'arrête, tousse, reprend plus haut:

> Un chien vint dans l'office[218]
> Et prit une andouillette.
> Alors à coups de louche   6
> Le chef le mit en miettes.
>
> Les autres chiens ce voyant
> Vite vite l'ensevelirent . . .

Il s'arrête, se recueille,[219] puis reprend:

> Les autres chiens ce voyant   10
> Vite vite l'ensevelirent
> Au pied d'une croix en bois blanc
> Où le passant pouvait lire:
>
> Un chien vint dans l'office
> Et prit une andouillette.   15
> Alors à coups de louche
> Le chef le mit en miettes.
>
> Les autres chiens ce voyant
> Vite vite l'ensevelirent . . .

Il s'arrête. Même jeu.   20

> Les autres chiens ce voyant
> Vite vite l'ensevelirent . . .

Il s'arrête. Même jeu. Plus bas.

> Vite vite l'ensevelirent . . .

Il se tait, reste un moment immobile, puis se remet à 25 *arpenter fébrilement la scène dans tous les sens. Il s'arrête à nouveau devant l'arbre, va et vient, devant les chaussures, va et vient, court à la coulisse gauche, regarde au loin, à la coulisse droite, regarde au loin. A ce moment Estragon*

218. *The song is a typical round which keeps repeating itself, like the salvation theme in the play.*
219. **se recueille** collects his thoughts.

entre par la coulisse gauche, pieds nus, tête basse, et traverse
lentement la scène. Vladimir se retourne et le voit.

VLADIMIR.—Encore toi! (*Estragon s'arrête mais ne lève*
pas la tête. Vladimir va vers lui.) Viens que je t'embrasse!

ESTRAGON.—Ne me touche pas!   5
        Vladimir suspend son vol,[220] *peiné. Silence.*

VLADIMIR.—Veux-tu que je m'en aille? (*Un temps.*)
Gogo! (*Un temps. Vladimir le regarde avec attention.*) On
t'a battu? (*Un temps.*) Gogo! (*Estragon se tait toujours, la*
tête basse.) Où as-tu passé la nuit? (*Silence. Vladimir*   10
avance.)

ESTRAGON.—Ne me touche pas! Ne me demande rien!
Ne me dis rien! Reste avec moi!

VLADIMIR.—Est-ce que je t'ai jamais quitté?

ESTRAGON.—Tu m'as laissé partir.   15

VLADIMIR.—Regarde-moi! (*Estragon ne bouge pas.*
D'une voix tonnante.) Regarde-moi, je te dis!

Estragon lève la tête. Ils se regardent longuement, en
reculant, avançant et penchant la tête comme devant un
objet d'art, tremblant de plus en plus l'un vers l'autre, puis 20
soudain s'étreignent,[221] *en se tapant sur le dos. Fin de*
l'étreinte. Estragon, n'étant plus soutenu, manque de tom-
ber.

ESTRAGON.—Quelle journée!

VLADIMIR.—Qui t'a esquinté?[222] Raconte-moi.   25

ESTRAGON.—Voilà encore une journée de tirée.[223]

VLADIMIR.—Pas encore.

ESTRAGON.—Pour moi elle est terminée, quoi qu'il
arrive. (*Silence.*) Tout à l'heure, tu chantais, je t'ai entendu.

---

220. **suspend son vol** *humorously grandiloquent expression for*
    s'arrête. (*An allusion to the famous lines of Lamartine's* "**Le**
    Lac," *which all French schoolchildren learn by heart:* O temps,
    suspends ton vol! et vous heures propices/Suspendez votre
    cours!/Laissez-nous savourer les rapides délices/Des plus beaux
    de nos jours!)
221. **s'etreignent** they embrace.
222. **esquinter** to beat up, to do in.
223. **tirée** done with, finished.

VLADIMIR.—C'est vrai, je me rappelle.

ESTRAGON.—Cela m'a fait de la peine. Je me disais. Il est seul, il me croit parti pour toujours et il chante.

VLADIMIR.—On ne commande pas à son humeur. Toute la journée je me suis senti dans une forme extraordinaire. ⁵ (*Un temps.*) Je ne me suis pas levé de la nuit, pas une seule fois.

ESTRAGON (*tristement*).—Tu vois, tu pisses mieux quand je ne suis pas là.

VLADIMIR.—Tu me manquais²²⁴—et en même temps ¹⁰ j'étais content. N'est-ce pas curieux?²²⁵

ESTRAGON (*outré*).—Content?

VLADIMIR (*ayant réfléchi*).—Ce n'est peut-être pas le mot.

ESTRAGON.—Et maintenant?

VLADIMIR (*s'étant consulté*).—Maintenant . . . (*joyeux*) ¹⁵ te revoilà . . . (*neutre*) nous revoilà . . . (*triste*) me revoilà.

ESTRAGON.—Tu vois, tu vas moins bien quand je suis là. Moi aussi, je me sens mieux seul.

VLADIMIR (*piqué*).—Alors pourquoi rappliquer?²²⁶   20

ESTRAGON.—Je ne sais pas.

VLADIMIR.—Mais moi je le sais. Parce que tu ne sais pas ᴛe défendre. Moi je ne t'aurais pas laissé battre.

ESTRAGON.—Tu n'aurais pas pu l'empêcher.

VLADIMIR.—Pourquoi?   25

ESTRAGON.—Ils étaient dix.

VLADIMIR.—Mais non, je veux dire que je t'aurais empêché de t'exposer à être battu.

ESTRAGON.—Je ne faisais rien.

VLADIMIR.—Alors pourquoi il t'ont battu?   30

ESTRAGON.—Je ne sais pas.

VLADIMIR.—Non, vois-tu, Gogo, il y a des choses qui t'échappent qui ne m'échappent pas à moi. Tu dois le sentir.

224. **Tu me manquais**   I missed you.
225. **curieux**   odd.
226. **Alors . . . rappliquer**   Then why do you always come back?

ESTRAGON.—Je te dis que je ne faisais rien.

VLADIMIR.—Peut-être bien que non. Mais il y a la manière, il y a la manière, si on tient à sa peau.²²⁷ Enfin, ne parlons plus de ça. Te voilà revenu, et j'en suis bien content.   5

ESTRAGON.—Ils étaient dix.

VLADIMIR.—Toi aussi, tu dois être content, au fond, avoue-le.

ESTRAGON.—Content de quoi?

VLADIMIR.—De m'avoir retrouvé.   10

ESTRAGON.—Tu crois?

VLADIMIR.—Dis-le, même si ce n'est pas vrai.

ESTRAGON.—Qu'est-ce que je dois dire?

VLADIMIR.—Dis, Je suis content.

ESTRAGON.—Je suis content.   15

VLADIMIR.—Moi aussi.

ESTRAGON.—Moi aussi.

VLADIMIR.—Nous sommes contents.

ESTRAGON.—Nous sommes contents. (Silence.) Qu'est-ce qu'on fait, maintenant qu'on est content?   20

VLADIMIR.—On attend Godot.

ESTRAGON.—C'est vrai.

                                                    Silence.

VLADIMIR.—Il y a du nouveau²²⁸ ici, depuis hier.

ESTRAGON.—Et s'il ne vient pas?   25

VLADIMIR (après un moment d'incompréhension).— Nous aviserons.²²⁹ (Un temps.) Je te dis qu'il y a du nouveau ici, depuis hier.

ESTRAGON.—Tout suinte.

VLADIMIR.—Regarde-moi l'arbre.   30

ESTRAGON.—On ne descend pas deux fois dans le même pus.

227. **Mais il y a la manière . . . peau** But it's the way you do it, the way if you want to save your hide.
228. **Il . . . nouveau** There's something new.
229. **nous aviserons** we'll see about it (when the time comes).

VLADIMIR.—L'arbre, je te dis, regarde-le.

Estragon regarde l'arbre.

ESTRAGON.—Il n'était pas là hier?

VLADIMIR.—Mais si. Tu ne te rappelles pas. Il s'en est fallu d'un cheveu qu'on ne s'y soit pendu.[230] (*Il réfléchit.*) 5 Oui, c'est juste (*en détachant les mots*) qu'on - ne - s'y - soit - pendu. Mais tu n'as pas voulu. Tu ne te rappelles pas?

ESTRAGON.—Tu l'as rêvé.

VLADIMIR.—Est-ce possible que tu aies oublié déjà?

ESTRAGON.—Je suis comme ça. Ou j'oublie tout de suite 10 ou je n'oublie jamais.

VLADIMIR.—Et Pozzo et Lucky, tu as oublié aussi?

ESTRAGON.—Pozzo et Lucky?

VLADIMIR.—Il a tout oublié!

ESTRAGON.—Je me rappelle un énergumène qui m'a 15 foutu des coups de pied. Ensuite il a fait le con.[231]

VLADIMIR.—C'était Lucky!

ESTRAGON.—Ça je m'en souviens. Mais quand c'était?[232]

VLADIMIR.—Et l'autre qui le menait, tu t'en souviens aussi? 20

ESTRAGON.—Il m'a donné des os.

VLADIMIR.—C'était Pozzo!

ESTRAGON—Et tu dis que c'était hier, tout ça?

VLADIMIR.—Mais oui, voyons.

ESTRAGON.—Et à cet endroit? 25

VLADIMIR.—Mais bien sûr! Tu ne reconnais pas?

ESTRAGON (*soudain furieux*).—Reconnais! Qu'est-ce qu'il y a à reconnaître? J'ai tiré ma roulure de vie au milieu des sables![233] Et tu veux que j'y voie des nuances! (*Regard circulaire*). Regarde-moi cette saloperie! Je n'en ai jamais 30 bougé!

230. **Il s'en . . . pendu** We missed hanging ourselves from it by a hair.
231. **Ensuite . . . con** Then he played the fool.
232. **quand c'était?** = (*popular*) quand est-ce que c'était?
233. **J'ai tiré . . . sables!** All my lousy life I've crawled about in the sands.

VLADIMIR.—Du calme, du calme.

ESTRAGON.—Alors fous-moi la paix avec tes paysages!
Parle-moi du sous-sol!

VLADIMIR.—Tout de même, tu ne vas pas me dire que
ça (geste) ressemble au Vaucluse![234] Il y a quand même ⁵
une grosse différence.

ESTRAGON.—Le Vaucluse! Qui te parle du Vaucluse?

VLADIMIR.—Mais tu as bien été dans le Vaucluse?

ESTRAGON.—Mais non, je n'ai jamais été dans le Vaucluse! J'ai coulé toute ma chaudepisse d'existence ici, je te ¹⁰
dis! Ici! Dans la Merdecluse![235]

VLADIMIR.—Pourtant nous avons été ensemble dans le
Vaucluse, j'en mettrais ma main au feu.[236] Nous avons fait
les vendanges, tiens, chez un nommé Bonnelly, à Roussillon. ¹⁵

ESTRAGON (plus calme).—C'est possible. Je n'ai rien
remarqué.

VLADIMIR.—Mais là-bas tout est rouge![237]

ESTRAGON (excédé).—Je n'ai rien remarqué, je te dis!
Silence. Vladimir soupire profondément. ²⁰

VLADIMIR.—Tu es difficile à vivre, Gogo.

ESTRAGON.—On ferait mieux de se séparer.

VLADIMIR.—Tu dis toujours ça. Et chaque fois tu reviens.
Silence. ²⁵

ESTRAGON.—Pour bien faire, il faudrait me tuer, comme
l'autre.

VLADIMIR.—Quel autre? (Un temps.) Quel autre?

ESTRAGON.—Comme des billions d'autres.

234. **Vaucluse** *Département in southeastern France where Beckett
stayed from 1942 to 1944, in the village of Roussillon (see below).*
235. **J'ai coulé . . . Merdecluse** I've dragged out my lousy life here,
I tell you, here in the Merdecluse (**Merdecluse:** *play on the
famous swear-word of Cambronne*).
236. **j'en mettrais . . . feu** I could swear to it.
237. **rouge** *An allusion to the color of the soil in the Vaucluse, and
perhaps to the political opinions of the peasants who like to
think they are "reds."*

VLADIMIR (*sentencieux*).—A chacun sa petite croix. (*Il soupire.*) Pendant le petit pendant et le bref après.

ESTRAGON.—En attendant, essayons de converser sans nous exalter, puisque nous sommes incapables de nous taire.   5

VLADIMIR.—C'est vrai, nous sommes intarissables.[238]

ESTRAGON.—C'est pour ne pas penser.

VLADIMIR.—Nous avons des excuses.

ESTRAGON.—C'est pour ne pas entendre.

VLADIMIR.—Nous avons nos raisons.   10

ESTRAGON.—Toutes les voix mortes.

VLADIMIR.—Ça fait un bruit d'ailes.

ESTRAGON.—De feuilles.

VLADIMIR.—De sable.

ESTRAGON.—De feuilles.   15

Silence.

VLADIMIR.—Elles parlent toutes en même temps.

ESTRAGON.—Chacune à part soi.[239]

Silence.

VLADIMIR.—Plutôt elles chuchotent.   20

ESTRAGON.—Elles murmurent.

VLADIMIR.—Elles bruissent.

ESTRAGON.—Elles murmurent.

Silence.

VLADIMIR.—Que disent-elles?   25

ESTRAGON.—Elles parlent de leur vie.

VLADIMIR.—Il ne leur suffit pas d'avoir vécu.

ESTRAGON.—Il faut qu'elles en parlent.

VLADIMIR.—Il ne leur suffit pas d'être mortes.

ESTRAGON.—Ce n'est pas assez.   30

Silence.

VLADIMIR.—Ça fait comme un bruit de plumes.

ESTRAGON.—De feuilles.

---

238. **intarissables** *Another long, vaudeville-type exchange follows, but in a semi-lyrical mood.*
239. **chacune à part soi** each one to itself.

VLADIMIR.—De cendres.
ESTRAGON.—De feuilles.

Long silence.

VLADIMIR.—Dis quelque chose!
ESTRAGON.—Je cherche.   5

Long silence.

VLADIMIR *(angoissé).*—Dis n'importe quoi!
ESTRAGON.—Qu'est-ce qu'on fait maintenant?
VLADIMIR.—On attend Godot.
ESTRAGON.—C'est vrai.   10

Silence.

VLADIMIR.—Ce que c'est difficile!
ESTRAGON.—Si tu chantais?
VLADIMIR.—Non non. (*Il cherche.*) On n'a qu'à recommencer.   15
ESTRAGON.—Ça ne me semble pas bien difficile en effet.
VLADIMIR.—C'est le départ qui est difficile.
ESTRAGON.—On peut partir de n'importe quoi.
VLADIMIR.—Oui, mais il faut se décider.
ESTRAGON.—C'est vrai.   20

Silence.

VLADIMIR.—Aide-moi!
ESTRAGON.—Je cherche.

Silence.

VLADIMIR.—Quand on cherche on entend.   25
ESTRAGON.—C'est vrai.
VLADIMIR.—Ça empêche de trouver.
ESTRAGON.—Voilà.
VLADIMIR.—Ça empêche de penser.
ESTRAGON.—On pense quand même.   30
VLADIMIR.—Mais non, c'est impossible.
ESTRAGON.—C'est ça, contredisons-nous.
VLADIMIR.—Impossible.
ESTRAGON.—Tu crois?
VLADIMIR.—Nous ne risquons plus de penser.[240]   35

240. **Nous . . . penser** We're in no danger of thinking any more.

ESTRAGON.—Alors de quoi nous plaignons-nous?

VLADIMIR.—Ce n'est pas le pire, de penser.

ESTRAGON.—Bien sûr, bien sûr, mais c'est déjà ça.

VLADIMIR.—Comment, c'est déjà ça?

ESTRAGON.—C'est ça, posons-nous des questions.   5

VLADIMIR.—Qu'est-ce que tu veux dire, c'est déjà ça?

ESTRAGON.—C'est déjà ça en moins.[241]

VLADIMIR.—Evidemment.

ESTRAGON.—Alors? Si on s'estimait heureux?[242]

VLADIMIR.—Ce qui est terrible, c'est d'avoir pensé.   10

ESTRAGON.—Mais cela nous est-il jamais arrivé?

VLADIMIR.—D'où viennent tous ces cadavres?

ESTRAGON.—Ces ossements.

VLADIMIR.—Voilà.

ESTRAGON.—Evidemment.   15

VLADIMIR.—On a dû penser un peu.

ESTRAGON.—Tout à fait au commencement.

VLADIMIR.—Un charnier, un charnier.

ESTRAGON.—Il n'y a qu'à ne pas regarder.

VLADIMIR.—Ça tire l'œil.[243]   20

ESTRAGON.—C'est vrai.

VLADIMIR.—Malgré qu'on en ait.[244]

ESTRAGON.—Comment?

VLADIMIR.—Malgré qu'on en ait.

ESTRAGON.—Il faudrait se tourner résolument vers la   25
nature.

VLADIMIR.—Nous avons essayé.

ESTRAGON.—C'est vrai.

VLADIMIR.—Oh, ce n'est pas le pire, bien sûr.

ESTRAGON.—Quoi donc?   30

VLADIMIR.—D'avoir pensé.

ESTRAGON.—Evidemment.

241. **C'est . . . moins** There's that much less.
242. **Si . . . heureux** What if we considered ourseles lucky?
243. **Ca tire l'oeil** You can't help looking [*literally*, it draws your eye].
244. **Malgré qu'on en ait** In spite of oneself.

VLADIMIR.—Mais on s'en serait passé.[245]

ESTRAGON.—Qu'est-ce que tu veux?

VLADIMIR.—Je sais, je sais.

Silence.

ESTRAGON.—Ce n'était pas si mal comme petit galop.[246]   5

VLADIMIR.—Oui, mais maintenant il va falloir trouver autre chose.

ESTRAGON.—Voyons.

VLADIMIR.—Voyons.

ESTRAGON.—Voyons.   10

Il réfléchissent.

VLADIMIR.—Qu'est-ce que je disais? On pourrait reprendre là.

ESTRAGON.—Quand?

VLADIMIR.—Tout à fait au début.   15

ESTRAGON.—Au début de quoi?

VLADIMIR.—Ce soir. Je disais . . . je disais . . .

ESTRAGON.—Ma foi, là tu m'en demandes trop.

VLADIMIR.—Attends . . . on s'est embrassé . . . on était content . . . content . . . qu'est-ce qu'on fait main-   20
tenant qu'on est content . . . on attend . . . voyons . . . ça vient . . . on attend . . . maintenant qu'on est content . . . on attend . . . voyons . . . ah! L'arbre!

ESTRAGON.—L'arbre?

VLADIMIR.—Tu ne te rappelles pas?   25

ESTRAGON.—Je suis fatigué.

VLADIMIR.—Regarde-le.

Estragon regarde l'arbre.

ESTRAGON.—Je ne vois rien.

VLADIMIR.—Mais hier soir il était tout noir et squelet-   30
tique! Aujourd'hui il est couvert de feuilles.

ESTRAGON.—De feuilles?

VLADIMIR.—Dans une seule nuit!

ESTRAGON.—On doit être au printemps.

VLADIMIR.—Mais dans une seule nuit!   35

245. **Mais . . . passé** But we could have done without it.
246. **Ce n'était . . . galop** That wasn't such a bad little canter.

ESTRAGON.—Je te dis que nous n'étions pas là hier soir. Tu l'as cauchemardé.[247]

VLADIMIR.—Et où étions-nous hier soir, d'après toi?

ESTRAGON.—Je ne sais pas. Ailleurs. Dans un autre compartiment. Ce n'est pas le vide qui manque.   5

VLADIMIR (*sûr de son fait*).—Bon. Nous n'étions pas là hier soir. Maintenant qu'est-ce que nous avons fait hier soir?

ESTRAGON.—Ce que nous avons fait?

VLADIMIR.—Essaie de te rappeler.   10

ESTRAGON.—Eh ben . . . nous avons dû bavarder.

VLADIMIR (*se maîtrisant*).—A propos de quoi?

ESTRAGON.—Oh . . . à bâtons rompus peut-être, à propos de bottes.[248] (*Avec assurance.*) Voilà, je me rappelle, hier soir nous avons bavardé, à propos de bottes. Il y a un   15
demi-siècle que ça dure.

VLADIMIR.—Tu ne te rappelles aucun fait, aucune circonstance?

ESTRAGON (*las*).—Ne me tourmente pas, Didi.

VLADIMIR.—Le soleil? La lune? Tu ne te rappelles pas?   20

ESTRAGON.—Ils devaient être là, comme d'habitude.

VLADIMIR.—Tu n'as rien remarqué d'insolite?

ESTRAGON.—Hélas.

VLADIMIR.—Et Pozzo? Et Lucky?

ESTRAGON.—Pozzo?   25

VLADIMIR.—Les os.

ESTRAGON.—On aurait dit des arêtes.

VLADIMIR.—C'est Pozzo qui te les a donnés.

ESTRAGON.—Je ne sais pas.

VLADIMIR.—Et le coup de pied.   30

ESTRAGON.—Le coup de pied? C'est vrai, on m'a donné des coups de pied.

VLADIMIR.—C'est Lucky qui te les a donnés.

ESTRAGON.—C'était hier, tout ça?

247. **Tu l'as cauchemardé** You've dreamt it in a nightmare.
248. **à bâtons rompus** just casually. (*There is a play on* **bottes**—*in this expression "nothing"—and Estragon's much discussed boots.*)

VLADIMIR.—Fais voir[249] ta jambe.

ESTRAGON.—Laquelle?

VLADIMIR.—Les deux. Relève ton pantalon. (*Estragon, sur un pied, tend la jambe vers Vladimir, manque de tomber. Vladimir prend la jambe. Estragon chancelle.*) Relève ton pantalon.

ESTRAGON (*titubant*).—Je ne peux pas.

Vladimir relève le pantalon, regarde la jambe, la lâche. Estragon manque de tomber.

VLADIMIR.—L'autre. (*Estragon donne le même jambe.*) L'autre, je te dis! (*Même jeu avec l'autre jambe.*) Voilà la plaie en train de s'infecter.[250]

ESTRAGON.—Et après?

VLADIMIR.—Où sont tes chaussures?

ESTRAGON.—J'ai dû les jeter.

VLADIMIR.—Quand?

ESTRAGON.—Je ne sais pas.

VLADIMIR.—Pourquoi?

ESTRAGON.—Je ne me rappelle pas.

VLADIMIR.—Non, je veux dire pourquoi tu les as jetées?

ESTRAGON.—Elles me faisaient mal.

VLADIMIR (*montrant les chaussures*).—Les voilà. (*Estragon regarde les chaussures.*) A l'endroit même où tu les as posées hier soir.

Estragon va vers les chaussures, se penche, les inspecte de près.

ESTRAGON.—Ce ne sont pas les miennes.

VLADIMIR.—Pas les tiennes!

ESTRAGON.—Les miennes étaient noires. Celles-ci sont jaunes.

VLADIMIR.—Tu es sûr que les tiennes étaient noires?

ESTRAGON.—C'est-à-dire qu'elles étaient grises.

VLADIMIR.—Et celles-ci sont jaunes? Fais voir.

ESTRAGON (*soulevant une chaussure*).—Enfin, elles sont verdâtres.

249. **Fais voir** Show.
250. **Voilà** . . . **infecter** There's the wound, beginning to fester.

VLADIMIR (*avançant*).—Fais voir. (*Estragon lui donne la chaussure. Vladimir la regarde, la jette avec colère.*) Ça alors!

ESTRAGON.—Tu vois, tout ça c'est des . . .

VLADIMIR.—Je vois ce que c'est. Oui, je vois ce qui s'est ⁵ passé.

ESTRAGON.—Tout ça c'est des . . .

VLADIMIR.—C'est simple comme bonjour. Un type[251] est venu qui a pris les tiennes et t'a laissé les siennes.

ESTRAGON.—Pourquoi?   10

VLADIMIR.—Les siennes ne lui allaient pas. Alors il a pris les tiennes.

ESTRAGON.—Mais les miennes étaient trop petites.

VLADIMIR.—Pour toi. Pas pour lui.

ESTRAGON.—Je suis fatigué. (*Un temps.*) Allons-nous-en. 15

VLADIMIR.—On ne peut pas.

ESTRAGON.—Pourquoi?

VLADIMIR.—On attend Godot.

ESTRAGON.—C'est vrai. (*Un temps.*) Alors comment faire?   20

VLADIMIR.—Il n'y a rien à faire.

ESTRAGON.—Mais moi je n'en peux plus.[252]

VLADIMIR.—Veux-tu un radis?

ESTRAGON.—C'est tout ce qu'il y a?

VLADIMIR.—Il y a des radis et des navets.   25

ESTRAGON.—Il n'y a plus de carottes?

VLADIMIR.—Non. D'ailleurs tu exagères avec les carottes.[253]

ESTRAGON.—Alors donne-moi un radis. (*Vladimir fouille dans ses poches, ne trouve que des navets, sort finalement* 30 *un radis qu'il donne à Estragon qui l'examine, le renifle.*) Il est noir!

VLADIMIR.—C'est un radis.

251. **Un type**   someone, some guy.
252. **je n'en peux plus**   I can't go on like this.
253. **tu exagères . . . carottes**   you're overdoing it with your carrots.

ESTRAGON.—Je n'aime que les roses,[254] tu le sais bien!

VLADIMIR.—Alors tu n'en veux pas?

ESTRAGON.—Je n'aime que les roses!

VLADIMIR.—Alors rends-le-moi.

Estragon le lui rend.   [5]

ESTRAGON.—Je vais chercher une carotte.

Il ne bouge pas.

VLADIMIR.—Ceci devient vraiment insignifiant.

ESTRAGON.—Pas encore assez.

Silence.   [10]

VLADIMIR.—Si tu les essayais?

ESTRAGON.—J'ai tout essayé.

VLADIMIR.—Je veux dire les chaussures.

ESTRAGON.—Tu crois?

VLADIMIR.—Ça fera passer le temps. (*Estragon hésite.*) [15]
Je t'assure, ce sera une diversion.

ESTRAGON.—Un délassement.

VLADIMIR.—Une distraction.

ESTRAGON.—Un délassement.

VLADIMIR.—Essaie.   [20]

ESTRAGON.—Tu m'aideras?

VLADIMIR.—Bien sûr.

ESTRAGON.—On ne se débrouille pas trop mal, hein,
Didi, tous les deux ensemble?[255]

VLADIMIR.—Mais oui, mais oui. Allez, on va essayer la [25]
gauche d'abord.

ESTRAGON.—On trouve toujours quelque chose, hein,
Didi, pour nous donner l'impression d'exister?

VLADIMIR (*impatiemment*).—Mais oui, mais oui, on est
des magiciens. Mais ne nous laissons pas détourner de ce [30]
que nous avons résolu. (*Il ramasse une chaussure.*) Viens,
donne ton pied. (*Estragon s'approche de lui, lève le pied.*)
L'autre, porc! (*Estragon lève l'autre pied.*) Plus haut! (*Les*

---

254. **les roses**   *that is,* **les radis roses.**
255. **On . . . ensemble?**   We don't manage too badly, eh Didi, between the two of us?

corps emmêlés,[256] *ils titubent à travers la scène. Vladimir réussit finalement à lui mettre la chaussure.*) Essaie de marcher. (*Estragon marche.*) Alors?

ESTRAGON.—Elle me va.

VLADIMIR (*prenant de la ficelle dans sa poche*).—On va la lacer.

ESTRAGON (*véhémentement*).—Non, non, pas de lacet, pas de lacet!

VLADIMIR.—Tu as tort. Essayons l'autre. (*Même jeu.*) Alors?

ESTRAGON.—Elle me va aussi.

VLADIMIR.—Elles ne te font pas mal?

ESTRAGON (*faisant quelques pas appuyés*).[257]—Pas encore.

VLADIMIR.—Alors tu peux les garder.

ESTRAGON.—Elles sont trop grandes.

VLADIMIR.—Tu auras peut-être des chaussettes un jour.

ESTRAGON.—C'est vrai.

VLADIMIR.—Alors tu les gardes?

ESTRAGON.—Assez parlé de ces chaussures.

VLADIMIR.—Oui, mais . . .

ESTRAGON.—Assez! (*Silence.*) Je vais quand même m'asseoir.

Il cherche des yeux où s'asseoir, puis va s'asseoir là où il était assis au début du premier acte.

VLADIMIR.—C'est là où tu étais assis hier soir.

Silence.

ESTRAGON.—Si je pouvais dormir.

VLADIMIR.—Hier soir tu as dormi.

ESTRAGON.—Je vais essayer.

Il prend une posture utérine, la tête entre les jambes.

VLADIMIR.—Attends. (*Il s'approche d'Estragon et se met à chanter d'une voix forte.*)

Do do do do

---

256. **Les corps emmêlés** wreathed together.
257. **faisant . . . appuyés** pressing down as he takes a few steps.

ESTRAGON (*levant la tête*).—Pas si fort.[258]

VLADIMIR (*moins fort*).

> Do do do do
> Do do do do
> Do do do do   5
> Do do . . .

Estragon s'endort. Vladimir enlève son veston et lui en couvre les épaules, puis se met à marcher de long en large en battant des bras[259] *pour se réchauffer. Estragon se réveille en sursaut,*[260] *se lève, fait quelques pas affolés. Vladi-* 10 *mir court vers lui, l'entoure de son bras.*

VLADIMIR.—Là . . . là . . . je suis là . . . n'aie pas peur.

ESTRAGON.—Ah!

VLADIMIR.—Là . . . là . . . c'est fini.   15

ESTRAGON.—Je tombais.

VLADIMIR.—C'est fini. N'y pense plus.

ESTRAGON.—J'étais sur un . . .

VLADIMIR.—Non non, ne dis rien. Viens, on va marcher un peu.   20

Il prend Estragon par le bras et le fait marcher de long en large, jusqu'à ce qu'Estragon refuse d'aller plus loin.

ESTRAGON.—Assez! Je suis fatigué.

VLADIMIR.—Tu aimes mieux être planté là à ne rien faire?[261]   25

ESTRAGON.—Oui.

VLADIMIR.—Comme tu veux.

Il lâche Estragon, va ramasser son veston et le met.

ESTRAGON.—Allons-nous-en.

VLADIMIR.—On ne peut pas.   30

ESTRAGON.—Pourquoi?

VLADIMIR.—On attend Godot.

---

258. **Pas si fort**   not so loud.
259. **de long en large**   up and down; **en battant des bras**   beating his arms against his sides.
260. **en sursaut**   with a start.
261. **Tu . . . faire?**   You'd rather be stuck there doing nothing?

ESTRAGON.—C'est vrai. (*Vladimir reprend son va-et-vient.*) Tu ne peux pas rester tranquille?

VLADIMIR.—J'ai froid.

ESTRAGON.—On est venu trop tôt.

VLADIMIR.—C'est toujours à la tombée de la nuit. 5

ESTRAGON.—Mais la nuit ne tombe pas.

VLADIMIR.—Elle tombera tout d'un coup, comme hier.

ESTRAGON.—Puis ce sera la nuit.

VLADIMIR.—Et nous pourrons partir.

ESTRAGON.—Puis ce sera encore le jour. (*Un temps.*) 10
Que faire, que faire?

VLADIMIR (*s'arrêtant de marcher, avec violence*).—Tu as bientôt fini de te plaindre? Tu commences à me casser les pieds, avec tes gémissements.²⁶²

ESTRAGON.—Je m'en vais. 15

VLADIMIR (*apercevant le chapeau de Lucky*).—Tiens!

ESTRAGON.—Adieu.

VLADIMIR.—Le chapeau de Lucky! (*Il s'en approche.*) Voilà une heure que je suis là et je ne l'avais pas vu! (*Très content.*) C'est parfait! 20

ESTRAGON.—Tu ne me verras plus.

VLADIMIR.—Je ne me suis donc pas trompé d'endroit. Nous voilà tranquilles.²⁶³ (*Il ramasse le chapeau de Lucky, le contemple, le redresse.*) Ça devait être un beau chapeau. (*Il le met à la place du sien qu'il tend à Estragon.*) Tiens. 25

ESTRAGON.—Quoi?

VLADIMIR.—Tiens-moi ça.

Estragon prend le chapeau de Vladimir. Vladimir ajuste des deux mains le chapeau de Lucky. Estragon met le chapeau de Vladimir à la place du sien qu'il tend à Vladi- 30
mir. Vladimir prend le chapeau d'Estragon. Estragon ajuste des deux mains le chapeau de Vladimir. Vladimir met le chapeau d'Estragon à la place de celui de Lucky qu'il tend à Estragon. Estragon prend le chapeau de Lucky. Vladimir

---

262. **Tu as . . . gémissements** Will you be done whining! I've had about my fill of your moaning.
263. **Nous voilà tranquilles** All's well.

ajuste des deux mains le chapeau d'Estragon. Estragon met le chapeau de Lucky à la place de celui de Vladimir qu'il tend à Vladimir. Vladimir prend son chapeau. Estragon ajuste des deux mains le chapeau de Lucky. Vladimir met son chapeau à la place de celui d'Estragon qu'il tend à 5 *Estragon. Estragon prend son chapeau. Vladimir ajuste son chapeau des deux mains. Estragon met son chapeau à la place de celui de Lucky qu'il tend à Vladimir. Vladimir prend le chapeau de Lucky. Estragon ajuste son chapeau des deux mains. Vladimir met le chapeau de Lucky à la* 10 *place du sien qu'il tend à Estragon. Estragon prend le chapeau de Vladimir. Vladimir ajuste des deux mains le chapeau de Lucky. Estragon tend le chapeau de Vladimir à Vladimir qui le prend et le tend à Estragon qui le prend et le tend à Vladimir qui le prend et le jette. Tout cela* 15 *dans un mouvement vif.*

VLADIMIR.—Il me va?

ESTRAGON.—Je ne sais pas.

VLADIMIR.—Non, mais comment me trouves-tu?[264]

Il tourne la tête coquettement à droite et à gauche, 20 *prend des attitudes de mannequin.*

ESTRAGON.—Affreux.

VLADIMIR.—Mais pas plus que d'habitude?

ESTRAGON.—La même chose.

VLADIMIR.—Alors je peux le garder. Le mien me faisait 25 mal. (*Un temps.*) Comment dire? (*Un temps.*) Il me grattait.

ESTRAGON.—Je m'en vais.

VLADIMIR.—Tu ne veux pas jouer?

ESTRAGON.—Jouer à quoi?

VLADIMIR.—On pourrait jouer à Pozzo et Lucky. 30

ESTRAGON.—Connais pas.

VLADIMIR.—Moi je ferai[265] Lucky, toi tu feras Pozzo. (*Il prend l'attitude de Lucky, ployant sous le poids de ses bagages. Estragon le regarde avec stupéfaction.*) Vas-y.

ESTRAGON.—Qu'est-ce que je dois faire? 35

264. **Comment me trouves-tu?** How do I look in it?
265. **ferai** play the part of, do.

VLADIMIR.—Engueule-moi!

ESTRAGON.—Salaud!

VLADIMIR.—Plus fort!

ESTRAGON.—Fumier! Crapule!

   Vladimir avance, recule, toujours ployé. 5

VLADIMIR.—Dis-moi de penser.

ESTRAGON.—Comment?

VLADIMIR.—Dis, Pense, cochon!

ESTRAGON.—Pense, cochon!

          Silence. 10

VLADIMIR.—Je ne peux pas!

ESTRAGON.—Assez!

VLADIMIR.—Dis-moi de danser.

ESTRAGON.—Je m'en vais.

VLADIMIR.—Danse, porc! (*Il se tord sur place.*[266] *Estra-* 15
gon sort précipitamment.) Je ne peux pas! (*Il lève la tête,
voit qu'Estragon n'est plus là, pousse un cri déchirant.*)
Gogo! (*Silence. Il se met à arpenter la scène presque en
courant. Estragon rentre précipitamment, essoufflé, court
vers Vladimir. Ils s'arrêtent à quelques pas l'un de l'autre.*) 20
Te revoilà enfin!

ESTRAGON (*haletant*).—Je suis maudit!

VLADIMIR.—Où as-tu été? Je t'ai cru parti pour toujours.

ESTRAGON.—Jusqu'au bord de la pente. On vient.[267]

VLADIMIR.—Qui? 25

ESTRAGON.—Je ne sais pas.

VLADIMIR.—Combien?

ESTRAGON.—Je ne sais pas.

VLADIMIR (*triomphant*).—C'est Godot! Enfin! (*Il em-*
brasse Estragon avec effusion.) Gogo! C'est Godot! Nous 30
sommes sauvés! Allons à sa rencontre! Viens! (*Il tire Estra-*
*gon vers la coulisse. Estragon résiste, se dégage, sort en
courant de l'autre côté.*) Gogo! Reviens! (*Silence. Vladimir
court à la coulisse par où Estragon vient de rentrer, regarde*

---

266. **Il se . . . place** He writhes on the spot.
267. **On vient** Someone is coming.

au loin. Estragon rentre précipitamment, court vers Vladi-
mir qui se retourne.) Te revoilà à nouveau!

ESTRAGON.—Je suis damné!

VLADIMIR.—Tu as été loin?

ESTRAGON.—Jusqu'au bord de la pente.   5

VLADIMIR.—En effet, nous sommes sur un plateau.
Aucun doute, nous sommes servis sur un plateau.[268]

ESTRAGON.—On vient par là aussi.

VLADIMIR.—Nous sommes cernés! (*Affolé, Estragon se*
précipite vers la toile de fond, s'y empêtre, tombe.) Imbé- 10
cile! Il n'y a pas d'issue par là. (*Vladimir va le relever,*
l'amène vers la rampe. Geste vers l'auditoire.) Là il n'y a
personne. Sauve-toi par là. Allez. (*Il le pousse vers la fosse.*
Estragon recule épouvanté.) Tu ne veux pas? Ma foi, ça se
comprend. Voyons. (*Il réfléchit.*) Il ne te reste plus qu'à 15
disparaître.

ESTRAGON.—Où?

VLADIMIR.—Derrière l'arbre. (*Estragon hésite.*) Vite!
Derrière l'arbre. (*Estragon court se mettre derrière l'arbre*
qui ne le cache que très imparfaitement.) Ne bouge plus! 20
(*Estragon sort de derrière l'arbre.*) Décidément cet arbre ne
nous aura servi à rien. (*A Estragon.*) Tu n'es pas fou?

ESTRAGON (*plus calme*).—J'ai perdu la tête. (*Il baisse*
honteusement la tête.) Pardon! (*Il redresse fièrement la*
tête.) C'est fini! Maintenant tu vas voir. Dis-moi ce qu'il 25
faut faire.

VLADIMIR.—Il n'y a rien à faire.

ESTRAGON.—Toi tu vas te poster là. (*Il entraîne Vladi-*
mir vers la coulisse gauche, le met dans l'axe de la route,
le dos à la scène.) Là, ne bouge plus, et ouvre l'œil. (*Il court* 30
vers l'autre coulisse. Vladimir le regarde par-dessus l'é-
paule. Estragon s'arrête, regarde au loin, se retourne. Les
deux se regardent par-dessus l'épaule.) Dos à dos comme au
bon vieux temps! (*Ils continuent à se regarder un petit*

---

268. **plateau** *Triple play on words*—(geographical) plateau; stage
floor; *and in this expression* tray, *that is,* we're dished up.

moment, puis chacun reprend le guet. Long silence.) Tu
ne vois rien venir?

VLADIMIR (*se retournant*).—Comment?

ESTRAGON (*plus fort*).—Tu ne vois rien venir?

VLADIMIR.—Non.   5

ESTRAGON.—Moi non plus.

          Ils reprennent le guet. Long silence.

VLADIMIR.—Tu as dû te tromper.

ESTRAGON (*se retournant*).—Comment?

VLADIMIR (*plus fort*).—Tu as dû te tromper.   10

ESTRAGON.—Ne crie pas.

          Ils reprennent le guet. Long silence.

VLADIMIR, ESTRAGON (*se retournant simultanément*).—
Est-ce . . .

VLADIMIR.—Oh pardon!   15

ESTRAGON.—Je t'écoute.

VLADIMIR.—Mais non!

ESTRAGON.—Mais si!

VLADIMIR.—Je t'ai coupé.[269]

ESTRAGON.—Au contraire.   20

          Ils se regardent avec colère.

VLADIMIR.—Voyons, pas de cérémonie.

ESTRAGON.—Ne sois pas têtu, voyons.

VLADIMIR (*avec force*).—Achève ta phrase, je te dis.

ESTRAGON (*de même*).—Achève la tienne.   25

        Silence. Ils vont l'un vers l'autre, s'arrêtent.

VLADIMIR.—Misérable!

ESTRAGON.—C'est ça, engueulons-nous. (*Echange d'in-
jures. Silence.*) Maintenant raccommodons-nous.

VLADIMIR.—Gogo!   30

ESTRAGON.—Didi!

VLADIMIR.—Ta main!

ESTRAGON.—La voilà!

VLADIMIR.—Viens dans mes bras!

ESTRAGON.—Tes bras?   35

269. **Je t'ai coupé** I cut you off, *that is,* I interrupted you.

Vladimir (*ouvrant les bras*).—Là-dedans!

Estragon.—Allons-y.

Ils s'embrassent. Silence.

Vladimir.—Comme le temps passe quand on s'amuse!

Silence.   5

Estragon.—Qu'est-ce qu'on fait maintenant?

Vladimir.—En attendant.

Estragon.—En attendant.

Silence.

Vladimir.—Si on faisait nos exercices?   10

Estragon.—Nos mouvements.

Vladimir.—D'assouplissement.

Estragon.—De relaxation.

Vladimir.—De circumduction.[270]

Estragon.—De relaxation.   15

Vladimir.—Pour nous réchauffer.

Estragon.—Pour nous calmer.

Vladimir.—Allons-y.

Il commence à sauter. Estragon l'imite.

Estragon (*s'arrêtant*).—Assez. Je suis fatigué.   20

Vladimir (*s'arrêtant*).—Nous ne sommes pas en train.[271]
Faisons quand même quelques respirations.

Estragon.—Je ne veux plus respirer.

Vladimir.—Tu as raison. (*Pause.*) Faisons quand même
l'arbre,[272] pour l'équilibre.   25

Estragon.—L'arbre?

Vladimir fait l'arbre en titubant.

Vladimir (*s'arrêtant*).—A toi.

Estragon fait l'arbre en titubant.

Estragon.—Tu crois que Dieu me voit.   30

Vladimir.—Il faut fermer les yeux.

Estragon ferme les yeux, titube plus fort.

---

270. **circumduction**   *Rarely used learned word meaning rotary movement around a central point.*

271. **en train**   in form, in shape.

272. **faire l'arbre**   *Exercise which consists in holding out both arms
horizontally while standing on tiptoes.*

ESTRAGON (*s'arrêtant, brandissant les poings, à tue-tête*).[273]—Dieu aie pitié de moi!

VLADIMIR (*vexé*).—Et moi?

ESTRAGON (*de même*).—De moi! De moi! Pitié! De moi! *Entrent Pozzo et Lucky. Pozzo est devenu aveugle.* [5] *Lucky chargé comme au premier acte. Corde comme au premier acte, mais beaucoup plus courte, pour permettre à Pozzo de suivre plus commodément. Lucky coiffé d'un nouveau chapeau. A la vue de Vladimir et Estragon il s'arrête. Pozzo, continuant son chemin, vient se heurter* [10] *contre lui. Vladimir et Estragon reculent.*

POZZO (*s'agrippant à Lucky qui, sous ce nouveau poids, chancelle*).—Qu'y a-t-il? Qui a crié?

Lucky tombe, en lâchant tout, et entraîne Pozzo dans sa chute. Ils restent étendus sans mouvement au milieu des [15] *bagages.*

ESTRAGON.—C'est Godot?

VLADIMIR.—Ça tombe à pic.[274] (*Il va vers le tas, suivi d'Estragon.*) Enfin du renfort!

POZZO (*voix blanche*).—Au secours. [20]

ESTRAGON.—C'est Godot?

VLADIMIR.—Nous commencions à flancher. Voilà notre fin de soirée assurée.

POZZO.—A moi!

ESTRAGON.—Il appelle à l'aide. [25]

VLADIMIR.—Nous ne sommes plus seuls, à attendre la nuit, à attendre Godot, à attendre—à attendre. Toute la soirée nous avons lutté, livrés à nos propres moyens.[275] Maintenant c'est fini. Nous sommes déjà demain.

ESTRAGON.—Mais ils sont seulement de passage.[276] [30]

POZZO.—A moi![277]

---

273. à **tue-tête**   at the top of his voice.
274. à **pic**   *Play on the word* **tomber** [to fall] *which is also used in the expression* **tomber à pic** [to happen in the nick of time].
275. **livrés . . . moyens**   unassisted.
276. **être de passage**   *to* be passing through.
277. **A moi**   Help!

VLADIMIR.—Déjà le temps coule tout autrement. Le soleil se couchera, la lune se lèvera et nous partirons—d'ici.

ESTRAGON.—Mais ils ne font que[278] passer.

VLADIMIR.—Ce sera suffisant.

POZZO.—Pitié!

VLADIMIR.—Pauvre Pozzo!

ESTRAGON.—Je savais que c'était lui.

VLADIMIR.—Qui?

ESTRAGON.—Godot.

VLADIMIR.—Mais ce n'est pas Godot.

ESTRAGON.—Ce n'est pas Godot!

VLADIMIR.—Ce n'est pas Godot.

ESTRAGON.—Qui c'est alors?

VLADIMIR.—C'est Pozzo.

POZZO.—C'est moi! C'est moi! Relevez-moi!

VLADIMIR.—Il ne peut pas se relever.

ESTRAGON.—Allons-nous-en.

VLADIMIR.—On ne peut pas.

ESTRAGON.—Pourquoi?

VLADIMIR.—On attend Godot.

ESTRAGON.—C'est vrai.

VLADIMIR.—Peut-être qu'il a encore des os pour toi.

ESTRAGON.—Des os?

VLADIMIR.—De poulet. Tu ne te rappelles pas?

ESTRAGON.—C'était lui?

VLADIMIR.—Oui.

ESTRAGON.—Demande-lui.

VLADIMIR.—Si on l'aidait d'abord?

ESTRAGON.—A quoi faire?

VLADIMIR.—A se relever.

ESTRAGON.—Il ne peut pas se relever?

VLADIMIR.—Il veut se relever.

ESTRAGON.—Alors qu'il se relève.

VLADIMIR.—Il ne peut pas.

ESTRAGON.—Qu'est-ce qu'il a?

278. **ils ne font que** they are only

VLADIMIR.—Je ne sais pas.

Pozzo se tord, gémit, frappe le sol avec ses poings.

ESTRAGON.—Si on lui demandait les os d'abord? Puis s'il refuse on le laissera là.

VLADIMIR.—Tu veux dire que nous l'avons à notre merci? ⁵

ESTRAGON.—Oui.

VLADIMIR.—Et qu'il faut mettre des conditions à nos bons offices?

ESTRAGON.—Oui. ¹⁰

VLADIMIR.—Ça a l'air intelligent en effet. Mais je crains une chose.

ESTRAGON.—Quoi?

VLADIMIR.—Que Lucky ne se mette en branle tout d'un coup. Alors nous serions baisés.²⁷⁹ ¹⁵

ESTRAGON.—Lucky?

VLADIMIR.—C'est lui qui t'a attaqué hier.

ESTRAGON.—Je te dis qu'ils étaient dix.

VLADIMIR.—Mais non, avant, celui qui t'a donné des coups de pied. ²⁰

ESTRAGON.—Il est là?

VLADIMIR.—Mais regarde. (*Geste.*) Pour le moment il est inerte. Mais il peut se déchaîner²⁸⁰ d'un instant à l'autre.

ESTRAGON.—Si on lui donnait une bonne correction tous ²⁵ les deux?

VLADIMIR.—Tu veux dire si on lui tombait dessus pendant qu'il dort?

ESTRAGON.—Oui.

VLADIMIR.—C'est une bonne idée. Mais en sommes- ³⁰ nous capables? Dort-il vraiment? (*Un temps.*) Non, le mieux serait de profiter de ce que Pozzo appelle au secours pour le secourir, en tablant sur sa reconnaissance.

ESTRAGON.—Il ne demande plus rien.

VLADIMIR.—C'est qu'il a perdu l'espoir. ³⁵

---

279. **baisés** in a pickle (*not used in polite company*).
280. **déchaîner** go wild.

ESTRAGON.—C'est possible. Mais . . .

VLADIMIR.—Ne perdons pas notre temps en de vains discours. (*Un temps. Avec véhémence.*) Faisons quelque chose, pendant que l'occasion se présente! Ce n'est pas tous les jours qu'on a besoin de nous. Non pas à vrai dire qu'on ait précisément besoin de nous. D'autres feraient aussi bien l'affaire, sinon mieux. L'appel que nous venons d'entendre, c'est plutôt à l'humanité tout entière qu'il s'adresse. Mais à cet endroit, en ce moment, l'humanité c'est nous, que ça nous plaise ou non. Profitons-en, avant qu'il soit trop tard. Représentons dignement pour une fois l'engeance où le malheur nous a fourrés.[281] Qu'en dis-tu?

ESTRAGON.—Je n'ai pas écouté.

VLADIMIR.—Il est vrai qu'en pesant, les bras croisés, le pour et le contre, nous faisons également honneur à notre condition. Le tigre se précipite au secours de ses congénères sans la moindre réflexion. Ou bien il se sauve au plus profond des taillis. Mais la question n'est pas là. Que faisons-nous ici, voilà ce qu'il faut se demander. Nous avons la chance de le savoir. Oui, dans cette immense confusion, une seule chose est claire: nous attendons que Godot vienne.

ESTRAGON.—C'est vrai.

VLADIMIR.—Ou que la nuit tombe. (*Un temps.*) Nous sommes au rendez-vous, un point c'est tout. Nous ne sommes pas des saints, mais nous sommes au rendez-vous. Combien de gens peuvent en dire autant?

ESTRAGON.—Des masses.

VLADIMIR.—Tu crois?

ESTRAGON.—Je ne sais pas.

VLADIMIR.—C'est possible.

POZZO.—Au secours!

VLADIMIR.—Ce qui est certain, c'est que le temps est long, dans ces conditions, et nous pousse à le meubler

---

281. **Représentons . . . fourrés** Let us represent worthily for once the brood to which a cruel fate consigned us. (*Why does Vladimir get so excited and what does his speech mean?*)

d'agissements[282] qui, comment dire, qui peuvent à première
vue paraître raisonnables, mais dont nous avons l'habitude.
Tu me diras que c'est pour empêcher notre raison de
sombrer. C'est une affaire entendue.[283] Mais n'erre-t-elle
pas[284] déjà dans la nuit permanente des grands fonds,   5
voilà ce que je me demande parfois. Tu suis mon raisonne-
ment?

ESTRAGON.—Nous naissons tous fous. Quelques-uns le
demeurent.

POZZO.—Au secours, je vous donnerai de l'argent!   10
ESTRAGON.—Combien?
POZZO.—Cent francs.
ESTRAGON.—Ce n'est pas assez.
VLADIMIR.—Je n'irais pas jusque-là.[285]
ESTRAGON.—Tu trouves que c'est assez?   15
VLADIMIR.—Non, je veux dire jusqu'à affirmer[286] que
je n'avais pas toute ma tête en venant au monde. Mais
la question n'est pas là.

POZZO.—Deux cents.[287]
VLADIMIR.—Nous attendons. Nous nous ennuyons. (Il   20
lève la main). Non, ne proteste pas, nous nous ennuyons
ferme, c'est incontestable. Bon. Une diversion se présente
et que faisons-nous? Nous la laissons pourrir. Allons, au
travail. (Il avance vers Pozzo, s'arrête.) Dans un instant,
tout se dissipera, nous serons à nouveau seuls, au milieu   25
des solitudes. (Il rêve.)

POZZO.—Deux cents!
VLADIMIR.—On arrive.[288]

Il essaie de soulever Pozzo, n'y arrive pas, renouvelle ses
efforts, trébuche dans les bagages, tombe, essaie de se re-   30
lever, n'y arrive pas.

282. meubler d'agissements   to fill with activities.
283. C'est . . . entendue   No question about that.
284. n'erre-t-elle pas   hasn't it been straying (elle: raison)?
285. Je . . . jusque-là   I wouldn't go so far as that.
286. je veux . . . affirmer   I mean so far as to assert.
287. cents   Francs understood.
288. On arrive   We're coming.

ESTRAGON.—Qu'est-ce que vous avez tous?

VLADIMIR.—Au secours!

ESTRAGON.—Je m'en vais.

VLADIMIR.—Ne m'abandonne pas! Ils me tueront!

POZZO.—Où suis-je? 5

VLADIMIR.—Gogo!

POZZO.—A moi.

VLADIMIR.—Aide-moi!

ESTRAGON.—Moi je m'en vais.

VLADIMIR.—Aide-moi d'abord. Puis nous partirons en- 10 semble.

ESTRAGON.—Tu le promets?

VLADIMIR.—Je le jure!

ESTRAGON.—Et nous ne reviendrons jamais.

VLADIMIR.—Jamais! 15

ESTRAGON.—Nous irons dans l'Ariège.[289]

VLADIMIR.—Où tu voudras.

POZZO.—Trois cents! Quatre cents!

ESTRAGON.—J'ai toujours voulu me ballader dans l'Ariège. 20

VLADIMIR.—Tu t'y balladeras.

ESTRAGON.—Qui a pété?

VLADIMIR.—C'est Pozzo.

POZZO.—C'est moi! C'est moi! Pitié!

ESTRAGON.—C'est dégoûtant. 25

VLADIMIR.—Vite! Vite! Donne ta main!

ESTRAGON.—Je m'en vais. (*Un temps. Plus fort.*) Je m'en vais.

VLADIMIR.—Après tout, je finirai bien par[290] me lever tout seul. (*Il essaie de se lever, retombe.*) Tôt ou tard. 30

ESTRAGON.—Qu'est-ce que tu as?

VLADIMIR.—Fous le camp.[291]

ESTRAGON.—Tu restes là?

---

289. l'Ariège *département in the central Pyrenees, bordering on Spain and Andorra.*

290. je finirai bien par in the end, I'll manage.

291. Fous le camp Get out! Get lost!

VLADIMIR.—Pour le moment.

ESTRAGON.—Lève-toi, voyons, tu vas attraper froid.

VLADIMIR.—Ne t'occupe pas de moi.

ESTRAGON.—Voyons, Didi, ne sois pas têtu. (*Il tend la main vers Vladimir qui s'empresse de s'en saisir.*) Allez, ⁵ debout!

VLADIMIR.—Tire!

Estragon tire, trébuche, tombe. Long silence.

POZZO.—A moi!

VLADIMIR.—Nous sommes là. ¹⁰

POZZO.—Qui êtes-vous?

VLADIMIR.—Nous sommes des hommes.

Silence.

ESTRAGON.—Ce qu'on[292] est bien, par terre!

VLADIMIR.—Peux-tu te lever? ¹⁵

ESTRAGON.—Je ne sais pas.

VLADIMIR.—Essaie.

ESTRAGON.—Tout à l'heure, tout à l'heure.

Silence.

POZZO.—Qu'est-ce qui s'est passé? ²⁰

VLADIMIR (*avec force*).—Veux-tu te taire, toi, à la fin! Quel choléra quand même![293] Il ne pense qu'à lui.

ESTRAGON.—Si on essayait de dormir?

VLADIMIR.—Tu l'as entendu? Il veut savoir ce qui s'est passé! ²⁵

ESTRAGON.—Laisse-le. Dors.

Silence.

POZZO.—Pitié! Pitié!

ESTRAGON (*sursautant*).—Quoi? Qu'est-ce qu'il y a?

VLADIMIR.—Tu dormais? ³⁰

ESTRAGON.—Je crois.

VLADIMIR.—C'est encore ce salaud de Pozzo!

ESTRAGON.—Dis-lui de la boucler! Casse-lui la gueule![294]

---

292. **ce qu'on** = comme on.
293. **Quel . . . même!** What a pest!
294. **Dis-lui . . . gueule!** Tell him to shut up! Punch him in the mouth!

VLADIMIR (*donnant des coups à Pozzo*).—As-tu fini?
Veux-tu te taire? Vermine! (*Pozzo se dégage en poussant
des cris de douleur et s'éloigne en rampant.*[295] *De temps en
temps, il s'arrête, scie l'air avec des gestes d'aveugle, en
appelant Lucky. Vladimir, s'appuyant sur le coude, le suit* 5
des yeux.) Il s'est sauvé! (*Pozzo s'effondre. Silence.*) Il est
tombé!

ESTRAGON.—Il s'était donc levé?

VLADIMIR.—Non.

ESTRAGON.—Et cependant tu dis qu'il est tombé. 10

VLADIMIR.—Il s'était mis à genoux. (*Silence.*) Nous
avons été peut-être un peu fort.[296]

ESTRAGON.—Cela ne nous arrive pas souvent.

VLADIMIR.—Il a imploré notre aide. Nous sommes restés
sourds. Il a insisté. Nous l'avons battu. 15

ESTRAGON.—C'est vrai.

VLADIMIR.—Il ne bouge plus. Il est peut-être mort.

ESTRAGON.—C'est pour avoir voulu l'aider que nous
sommes dans ce pétrin.

VLADIMIR.—C'est vrai. 20

ESTRAGON.—Tu n'as pas tapé trop fort?

VLADIMIR.—Je lui ai donné quelques bons coups.

ESTRAGON.—Tu n'aurais pas dû.

VLADIMIR.—C'est toi qui l'as voulu.

ESTRAGON.—C'est vrai. (*Un temps.*) Qu'est-ce qu'on fait 25
maintenant?

VLADIMIR.—Si je pouvais ramper jusqu'à lui.

ESTRAGON.—Ne me quitte pas!

VLADIMIR.—Si je l'appelais?

ESTRAGON.—C'est ça, appelle-le. 30

VLADIMIR.—Pozzo! (*Un temps.*) Pozzo! (*Un temps.*) Il
ne répond plus.

ESTRAGON.—Ensemble.

VLADIMIR, ESTRAGON.—Pozzo! Pozzo!

VLADIMIR.—Il a bougé. 35

295. **s'éloigne en rampant** crawls away.
296. **Nous avons . . . fort** Perhaps we overdid it.

ESTRAGON.—Tu es sûr qu'il s'appelle Pozzo?

VLADIMIR (*angoissé*).—Monsieur Pozzo! Reviens! On ne te fera pas de mal!

Silence.

ESTRAGON.—Si on essayait avec d'autres noms? 5

VLADIMIR.—J'ai peur qu'il ne soit sérieusement touché.[297]

ESTRAGON.—Ce serait amusant.

VLADIMIR.—Qu'est-ce qui serait amusant?

ESTRAGON.—D'essayer avec d'autres noms, l'un après 10 l'autre. Ça passerait le temps. On finirait bien par tomber sur le bon.

VLADIMIR.—Je te dis qu'il s'appelle Pozzo.

ESTRAGON.—C'est ce que nous allons voir. Voyons. (*Il réfléchit.*) Abel! Abel! 15

POZZO.—A moi!

ESTRAGON.—Tu vois!

VLADIMIR.—Je commence à en avoir assez de ce motif.

ESTRAGON.—Peut-être que l'autre s'appelle Caïn. (*Il appelle.*) Caïn! Caïn! 20

POZZO.—A moi!

ESTRAGON.—C'est toute l'humanité. (*Silence.*) Regarde-moi ce petit nuage.

VLADIMIR (*levant les yeux*).—Où?

ESTRAGON.—Là, au zénith. 25

VLADIMIR.—Eh bien? (*Un temps.*) Qu'est-ce qu'il a de si extraordinaire?

Silence.

ESTRAGON.—Passons maintenant à autre chose, veux-tu?

VLADIMIR.—J'allais justement te le proposer. 30

ESTRAGON.—Mais à quoi?

VLADIMIR.—Ah voilà!

Silence.

ESTRAGON.—Si on se levait pour commencer?

VLADIMIR.—Essayons toujours. 35

Ils se lèvent.

297. **touché** hurt.

ESTRAGON.—Pas plus difficile que ça.
VLADIMIR.—Vouloir, tout est là.[298]
ESTRAGON.—Et maintenant?
POZZO.—Au secours!
ESTRAGON.—Allons-nous-en.   5
VLADIMIR.—On ne peut pas.
ESTRAGON.—Pourquoi?
VLADIMIR.—On attend Godot.
ESTRAGON.—C'est vrai. (*Un temps.*) Que faire?
POZZO.—Au secours!   10
VLADIMIR.—Si on le secourait?
ESTRAGON.—Qu'est-ce qu'il faut faire?
VLADIMIR.—Il veut se lever.
ESTRAGON.—Et après?
VLADIMIR.—Il veut qu'on l'aide à se lever.   15
ESTRAGON.—Eh bien, aidons-le. Qu'est-ce qu'on attend?
Ils aident Pozzo à se lever, s'écartent de lui. Il retombe.
VLADIMIR.—Il faut le soutenir. (*Même jeu. Pozzo reste
debout entre les deux, pendu à leur cou.*) Il faut qu'il se
réhabitue à la station debout.[299] (*A Pozzo.*) Ça va mieux?   20
POZZO.—Qui êtes-vous?
VLADIMIR.—Vous ne nous remettez[300] pas?
POZZO.—Je suis aveugle.

                                              Silence.

ESTRAGON.—Peut-être qu'il voit clair dans l'avenir?   25
VLADIMIR (*à Pozzo*).—Depuis quand?
POZZO.—J'avais une très bonne vue—mais êtes-vous des
amis?
ESTRAGON (*riant bruyamment*).—Il demande si nous
sommes des amis!   30
VLADIMIR.—Non, il veut dire des amis à lui.
ESTRAGON.—Et alors?

---

298. **Vouloir, tout est là** Simple question of will power [*literally*, to exert one's will, all's there].
299. **Il faut . . . debout** He's got to get used to the upright position again.
300. **remettez** recognize.

VLADIMIR.—La preuve, c'est que nous l'avons aidé.

ESTRAGON.—Voilà! Est-ce que nous l'aurions aidé si nous n'étions pas ses amis?

VLADIMIR.—Peut-être.

ESTRAGON.—Evidemment. 5

VLADIMIR.—N'ergotons pas là-dessus.

POZZO.—Vous n'êtes pas des brigands?

ESTRAGON.—Des brigands! Est-ce que qu'on a l'air[301] de brigands?

VLADIMIR.—Voyons! Il est aveugle. 10

ESTRAGON.—Flûte![302] C'est vrai. (*Un temps.*) Qu'il dit.[303]

POZZO.—Ne me quittez pas.

VLADIMIR.—Il n'en est pas question.

ESTRAGON.—Pour l'instant.

POZZO.—Quelle heure est-il? 15

ESTRAGON (*inspectant le ciel*).—Voyons . . .

VLADIMIR.—Sept heures? . . . Huit heures? . . .

ESTRAGON.—Ça dépend de la saison.

POZZO.—C'est le soir?

Silence. Vladimir et Estragon regardent le couchant. 20

ESTRAGON.—On dirait qu'il[304] remonte.

VLADIMIR.—Ce n'est pas possible.

ESTRAGON.—Si c'était l'aurore?

VLADIMIR.—Ne dis pas de bêtises. C'est l'ouest par-là.

ESTRAGON.—Qu'est-ce que tu en sais? 25

POZZO (*avec angoisse*).—Sommes-nous au soir?

VLADIMIR.—D'ailleurs, il n'a pas bougé.

ESTRAGON.—Je te dis qu'il remonte.

POZZO.—Pourquoi ne répondez-vous pas?

ESTRAGON.—C'est qu'on ne voudrait pas vous dire une 30 connerie.[305]

301. **est-ce qu'on a l'air**　do we look like.
302. **Flûte!**　Damn!
303. **Qu'il dit**　So he says.
304. **il**　le soleil.
305. **connerie**　something stupid (*not for polite company*).

VLADIMIR (*rassurant*).—C'est le soir, monsieur, nous sommes arrivés au soir. Mon ami essaie de m'en faire douter, et je dois avouer que j'ai été ébranlé pendant un instant. Mais ce n'est pas pour rien que j'ai vécu cette longue journée et je peux vous assurer qu'elle est presque au bout ⁵ de son répertoire. (*Un temps.*) A part ça,³⁰⁶ comment vous sentez-vous?

ESTRAGON.—Combien de temps va-t-il falloir le charrier encore?³⁰⁷ (*Ils le lâchent à moitié, le reprennent en voyant qu'il va retomber.*) On n'est pas des cariatides.³⁰⁸   ¹⁰

VLADIMIR.—Vous disiez que vous aviez une bonne vue, autrefois, si j'ai bien entendu?

POZZO.—Oui, elle était bien bonne.

Silence.

ESTRAGON (*avec irritation*).—Développez! Développez!   ¹⁵

VLADIMIR.—Laisse-le tranquille. Ne vois-tu pas qu'il est en train de se rappeler son bonheur. (*Un temps.*) *Memoria praeteritorum bonorum*³⁰⁹—ça doit être pénible.

POZZO.—Oui, bien bonne.

VLADIMIR.—Et cela vous a pris³¹⁰ tout d'un coup?   ²⁰

POZZO.—Bien bonne.

VLADIMIR.—Je vous demande si cela vous a pris tout d'un coup.

POZZO.—Un beau jour je me suis réveillé, aveugle comme le destin. (*Un temps.*) Je me demande parfois si je ²⁵ ne dors pas encore.

VLADIMIR.—Quand ça?

POZZO.—Je ne sais pas.

VLADIMIR.—Mais pas plus tard qu'hier . . .

POZZO.—Ne me questionnez pas. Les aveugles n'ont pas ³⁰

306. **A part ça** aside from that.
307. **Combien . . . encore?** How much longer are we going to have to cart him around?
308. **cariatides** *Caryatids, statues supporting the entablature of a building.*
309. **Memoria . . . bonorum** (*Latin*). The memory of bygone happiness.
310. **vous a pris** came on you.

la notion du temps. (*Un temps.*) Les choses du temps, il ne
les voient pas non plus.

VLADIMIR.—Tiens! J'aurais juré le contraire.

ESTRAGON.—Je m'en vais.

POZZO.—Où sommes-nous?   5

VLADIMIR.—Je ne sais pas.

POZZO.—Ne serait-on pas au lieudit[311] la Planche?

VLADIMIR.—Je ne connais pas.

POZZO.—A quoi est-ce que ça ressemble?

VLADIMIR (*regard circulaire*).—On ne peut pas le dé-   10
crire. Ça ne ressemble à rien. Il n'y a rien. Il y a un arbre.

POZZO.—Alors ce n'est pas la Planche.

ESTRAGON (*ployant*).—Tu parles d'une diversion.

POZZO.—Où est mon domestique?

VLADIMIR.—Il est là.   15

POZZO.—Pourquoi ne répond-il pas quand je l'appelle?

VLADIMIR.—Je ne sais pas. Il semble dormir. Il est peut-
être mort.

POZZO.—Que s'est-il passé, au juste?

ESTRAGON.—Au juste!   20

VLADIMIR.—Vous êtes tombés tous les deux.

POZZO.—Allez voir s'il est blessé.

VLADIMIR.—Mais on ne peut pas vous quitter.

POZZO.—Vous n'avez pas besoin d'y aller tous les deux.

VLADIMIR (*à Estragon*).—Vas-y toi.   25

POZZO.—C'est ça, que votre ami y aille. Il sent si
mauvais.

VLADIMIR.—Va le réveiller.

ESTRAGON.—Après ce qu'il m'a fait! Jamais de la vie.

VLADIMIR.—Ah, tu te rappelles enfin qu'il t'a fait quel-   30
que chose.

ESTRAGON.—Je ne me rappelle rien du tout. C'est toi
qui me l'as dit.

VLADIMIR.—C'est vrai. (*A Pozzo.*) Mon ami a peur.

POZZO.—Il n'y a rien à craindre.   35

311. **lieudit**   place known as.

VLADIMIR (*à Estragon*).—A propos,[312] ces gens que tu as vus, où sont-ils passés?

ESTRAGON.—Je ne sais pas.

VLADIMIR.—Ils sont peut-être tapis[313] quelque part, en train de nous épier.

ESTRAGON.—Voilà.

VLADIMIR.—Ils se sont peut-être arrêtés tout simplement.

ESTRAGON.—Voilà.

VLADIMIR.—Pour se reposer.

ESTRAGON.—Pour se restaurer.

VLADIMIR.—Ils ont peut-être rebroussé chemin?

ESTRAGON.—Voilà.

VLADIMIR.—C'était peut-être une vision.

ESTRAGON.—Une illusion.

VLADIMIR.—Une hallucination.

ESTRAGON.—Une illusion.

POZZO.—Qu'est-ce qu'il attend?

VLADIMIR (*à Estragon*).—Qu'est-ce que tu attends?

ESTRAGON.—J'attends Godot.

VLADIMIR (*à Pozzo*).—Je vous ai dit que mon ami a peur. Hier votre domestique l'a attaqué, alors qu'il voulait seulement lui essuyer les larmes.

POZZO.—Ah, mais il ne faut jamais être gentil avec ces gens-là. Ils ne le supportent pas.[314]

VLADIMIR.—Qu'est-ce qu'il doit faire au juste?

POZZO.—Eh bien, qu'il tire d'abord sur la corde, en faisant attention naturellement de ne pas l'étrangler. En général, ça le fait réagir. Sinon qu'il lui donne des coups de pied, dans le bas-ventre et au visage autant que possible.

VLADIMIR (*à Estragon*).—Tu vois, tu n'as rien à craindre. C'est même une occasion de te venger.

ESTRAGON.—Et s'il se défend?

POZZO.—Non, non, il ne se défend jamais.

VLADIMIR.—Je volerai à ton secours.

312. **A propos** By the way.
313. **tapis** crouching, concealed.
314. **Ils . . . pas** They can't stand it.

ESTRAGON.—Ne me quitte pas des yeux![315] (*Il va vers Lucky.*)

VLADIMIR.—Regarde s'il est vivant d'abord. Pas la peine de lui taper dessus s'il est mort.

ESTRAGON (*s'étant penché sur Lucky*).—Il respire.   5

VLADIMIR.—Alors vas-y.[316]

Subitement déchaîné, Estragon bourre Lucky de coups de pied,[317] en hurlant. Mais il se fait mal au pied et s'éloigne en boitant et en gémissant. Lucky reprend ses sens.[318]   10

ESTRAGON (*s'arrêtant sur une jambe*).—Oh la vache!

Estragon s'assied, essaie d'enlever ses chaussures. Mais bientôt il y renoncera, se disposera en chien de fusil,[319] la tête entre les jambes, les bras devant la tête.

POZZO.—Que s'est-il passé encore?   15

VLADIMIR.—Mon ami s'est fait mal.

POZZO.—Et Lucky?

VLADIMIR.—Alors c'est bien lui?

POZZO.—Comment?

VLADIMIR.—C'est bien Lucky?   20

POZZO.—Je ne comprends pas.

VLADIMIR.—Et vous, vous êtes POZZO?

POZZO.—Certainement je suis POZZO.

VLADIMIR.—Les mêmes qu'hier?

POZZO.—Qu'hier?   25

VLADIMIR.—On s'est vu hier. (*Silence.*) Vous ne vous rappelez pas?

POZZO.—Je ne me rappelle avoir rencontré personne hier. Mais demain je ne me rappellerai avoir rencontré personne aujourd'hui. Ne comptez donc pas sur moi pour 30 vous renseigner. Et puis assez là-dessus. Debout!

VLADIMIR.—Vous l'emmeniez à Saint-Sauveur pour le

---

315. **Ne me . . . yeux** Don't take your eyes off me.
316. **Alors vas-y** Then let him have it.
317. **bourre . . . pied** kicks Lucky repeatedly.
318. **reprend ses sens** regains consciousness.
319. **se disposera . . . fusil** curls up.

vendre. Vous nous avez parlé. Il a dansé. Il a pensé. Vous voyiez clair.[320]

Pozzo.—Si vous y tenez.[321] Lâchez-moi, s'il vous plaît. (*Vladimir s'écarte.*) Debout!

Vladimir.—Il se lève.

Lucky se lève, ramasse les bagages.

Pozzo.—Il fait bien.

Vladimir.—Où allez-vous de ce pas?

Pozzo.—Je ne m'occupe pas de ça.

Vladimir.—Comme vous avez changé!

Lucky, chargé des bagages, vient se placer devant Pozzo.

Pozzo.—Fouet! (*Lucky dépose les bagages, cherche le fouet, le trouve, le donne à Pozzo, reprend les bagages.*) Corde! (*Lucky dépose les bagages, met le bout de la corde dans la main de Pozzo, reprend les bagages.*)

Vladimir.—Qu'est-ce qu'il y a dans la valise?

Pozzo.—Du sable. (*Il tire sur la corde.*) En avant! (*Lucky s'ébranle, Pozzo le suit.*)

Vladimir.—Un instant.

Pozzo s'arrête. La corde se tend. Lucky tombe, en lâchant tout. Pozzo trébuche, lâche la corde à temps, chancelle sur place. Vladimir le soutient.

Pozzo.—Qu'est-ce qui se passe?

Vladimir.—Il est tombé.

Pozzo.—Vite, faites-le lever avant qu'il s'endorme.

Vladimir.—Vous n'allez pas tomber si je vous lâche?

Pozzo.—Je ne pense pas.

Vladimir donne des coups de pied à Lucky.

Vladimir.—Debout! Porc! (*Lucky se relève, ramasse les bagages.*) Il est debout.

Pozzo (*tendant la main*).—Corde!

Lucky dépose les bagages, met le bout de la corde dans la main de Pozzo, reprend les bagages.

Vladimir.—Ne partez pas encore.

320. **Vous voyiez clair** you could see.
321. **Si . . . tenez** If you insist.

Pozzo.—Je pars.

Vladimir.—Que faites-vous quand vous tombez loin de
tout secours?

Pozzo.—Nous attendons de pouvoir nous relever. Puis
nous repartons.   5

Vladimir.—Avant de partir, dites-lui de chanter.

Pozzo.—A qui?

Vladimir.—A Lucky.

Pozzo.—De chanter?

Vladimir.—Oui. Ou de penser. Ou de réciter.   10

Pozzo.—Mais il est muet.

Vladimir.—Muet!

Pozzo.—Parfaitement. Il ne peut même pas gémir.

Vladimir.—Muet! Depuis quand?

Pozzo (soudain furieux).—Vous n'avez pas fini de m'em- 15
poisonner avec vos histoires de temps?[322] C'est insensé!
Quand! Quand! Un jour, ça ne vous suffit pas, un jour
pareil aux autres, il est devenu muet, un jour je suis
devenu aveugle, un jour nous deviendrons sourds, un jour
nous sommes nés, un jour nous mourrons, le même jour, 20
le même instant, ça ne vous suffit pas? (Plus posément.)
Elles accouchent à cheval sur une tombe, le jour brille un
instant, puis c'est la nuit à nouveau. (Il tire sur la corde.)
En avant!

   Ils sortent. Vladimir les suit jusqu'à la limite de la 25
scène, les regarde s'éloigner. Un bruit de chute, appuyé[323]
par la mimique de Vladimir, annonce qu'ils sont tombés à
nouveau. Silence. Vladimir va vers Estragon qui dort, le
contemple un moment, puis le réveille.

Estragon (gestes affolés, paroles incohérentes. Finale- 30
ment).—Pourquoi tu ne me laisses jamais dormir?

Vladimir.—Je me sentais seul.

Estragon.—Je rêvais que j'étais heureux.

Vladimir.—Ça a fait passer le temps.

322. **Vous n'avez . . . temps?** Have you not done tormenting me
   with your time?
323. **appuyé** reinforced.

ESTRAGON.—Je rêvais que . . .

VLADIMIR.—Tais-toi! (*Silence.*) Je me demande s'il est vraiment aveugle.

ESTRAGON.—Qui?

VLADIMIR.—Un vrai aveugle dirait-il qu'il n'a pas la ⁵ notion du temps?

ESTRAGON.—Qui?

VLADIMIR.—Pozzo.

ESTRAGON.—Il est aveugle?

VLADIMIR.—Il nous l'a dit.   10

ESTRAGON.—Et alors?

VLADIMIR.—Il m'a semblé qu'il nous voyait.

ESTRAGON.—Tu l'as rêvé. (*Un temps.*) Allons-nous-en. On ne peut pas. C'est vrai. (*Un temps.*) Tu es sûr que ce n'était pas lui?   15

VLADIMIR.—Qui?

ESTRAGON.—Godot?

VLADIMIR.—Mais qui?

ESTRAGON.—Pozzo.

VLADIMIR.—Mais non! Mais non! (*Un temps.*) Mais non. 20

ESTRAGON.—Je vais quand même me lever. (*Se lève péniblement.*) Aïe!

VLADIMIR.—Je ne sais plus quoi penser.

ESTRAGON.—Mes pieds! (*Il se rassied, essaie de se déchausser.*) Aide-moi!   25

VLADIMIR.—Est-ce que j'ai dormi, pendant que les autres souffraient? Est-ce que je dors en ce moment? Demain, quand je croirai me réveiller, que dirai-je de cette journée? Qu'avec Estragon mon ami, à cet endroit, jusqu'à la tombée de la nuit, j'ai attendu Godot? Que Pozzo est 30 passé, avec son porteur, et qu'il nous a parlé? Sans doute. Mais dans tout cela qu'y aura-t-il de vrai? (*Estragon, s'étant acharné en vain sur ses chaussures, s'est assoupi à nouveau. Vladimir le regarde.*) Lui ne saura rien. Il parlera des coups qu'il a reçus et je lui donnerai une carotte. (*Un* 35 *temps.*) A cheval sur une tombe et une naissance difficile.

Du fond du trou, rêveusement, le fossoyeur applique ses fers.[324] On a le temps de vieillir. L'air est plein de nos cris. (*Il écoute.*) Mais l'habitude est une grande sourdine. (*Il regarde Estragon.*) Moi aussi, un autre me regarde, en se disant, Il dort, il ne sait pas, qu'il dorme.[325] (*Un temps.*)   5
Je ne peux pas continuer. (*Un temps.*) Qu'est-ce que j'ai dit?

Il va et vient avec agitation, s'arrête finalement près de la coulisse gauche, regarde au loin. Entre à droite le garçon de la veille. Il s'arrête. Silence.   10

GARÇON.—Monsieur . . . (*Vladimir se retourne.*) Monsieur Albert . . .

VLADIMIR.—Reprenons.[326] (*Un temps. Au garçon.*) Tu ne me reconnais pas?

GARÇON.—Non Monsieur.   15

VLADIMIR.—C'est toi qui es venu hier?

GARÇON.—Non Monsieur.

VLADIMIR.—C'est la première fois que tu viens?

GARÇON.—Oui Monsieur.

Silence.   20

VLADIMIR.—C'est de la part de[327] Monsieur Godot.

GARÇON.—Oui Monsieur.

VLADIMIR.—Il ne viendra pas ce soir.

GARÇON.—Non Monsieur.

VLADIMIR.—Mais il viendra demain.   25

GARÇON.—Oui Monsieur.

VLADIMIR.—Sûrement.[328]

GARÇON.—Oui Monsieur.

Silence.

VLADIMIR.—Est-ce que tu as rencontré quelqu'un?   30

GARÇON.—Non Monsieur.

VLADIMIR.—Deux autres (*il hésite*) . . . hommes.

324. **applique ses fers**   puts on the forceps.
325. **qu'il dorme**   (*imperative*) let him sleep.
326. **Reprenons**   Let's start again, off we go again.
327. **de la part de**   from.
328. **Sûrement**   without fail.

GARÇON.—Je n'ai vu personne, Monsieur.

Silence.

VLADIMIR.—Qu'est-ce qu'il fait, Monsieur Godot? (*Un temps.*) Tu entends?

GARÇON.—Oui Monsieur.   5

VLADIMIR.—Et alors?

GARÇON.—Il ne fait rien, Monsieur.

Silence.

VLADIMIR.—Comment va ton frère?

GARÇON.—Il est malade Monsieur.   10

VLADIMIR.—C'est peut-être lui qui est venu hier.

GARÇON.—Je ne sais pas Monsieur.

Silence.

VLADIMIR.—Il a une barbe, Monsieur Godot?

GARÇON.—Oui Monsieur.   15

VLADIMIR.—Blonde ou . . . (*il hésite*) . . . ou noire?

GARÇON (*hésitant*).—Je crois qu'elle est blanche, Monsieur.

Silence.

VLADIMIR.—Miséricorde.[329]   20

Silence.

GARÇON.—Qu'est-ce que je dois dire à Monsieur Godot, Monsieur?

VLADIMIR.—Tu lui diras—(*il s'interrompt*)—tu lui diras que tu m'as vu et que—(*il réfléchit*)—que tu m'as vu. (*Un* 25 *temps. Vladimir s'avance, le garçon recule, Vladimir s'arrête, le garçon s'arrête.*) Dis, tu es bien sûr de m'avoir vu, tu ne vas pas me dire demain que tu ne m'as jamais vu?

Silence. Vladimir fait un soudain bond en avant, le 30 *garçon se sauve comme une flèche. Silence. Le soleil se couche, la lune se lève. Vladimir reste immobile. Estragon se réveille, se déchausse, se lève, les chaussures à la main, les dépose devant la rampe, va vers Vladimir, le regarde.*

ESTRAGON.—Qu'est-ce que tu as?

VLADIMIR.—Je n'ai rien.   35

329. **Miséricorde** Mercy on us!

ESTRAGON.—Moi je m'en vais.

VLADIMIR.—Moi aussi.

Silence.

ESTRAGON.—Il y avait longtemps que je dormais?

VLADIMIR.—Je ne sais pas.   5

Silence.

ESTRAGON.—Où irons-nous?

VLADIMIR.—Pas loin.

ESTRAGON.—Si si, allons-nous-en loin d'ici!

VLADIMIR.—On ne peut pas.   10

ESTRAGON.—Pourquoi?

VLADIMIR.—Il faut revenir demain.

ESTRAGON.—Pour quoi faire?

VLADIMIR.—Attendre Godot.

ESTRAGON.—C'est vrai. (*Un temps.*) Il n'est pas venu?   15

VLADIMIR.—Non.

ESTRAGON.—Et maintenant il est trop tard.

VLADIMIR.—Oui, c'est la nuit.

ESTRAGON.—Et si on le laissait tomber?[330] (*Un temps.*)
Si on le laissait tomber?   20

VLADIMIR.—Il nous punirait. (*Silence. Il regarde
l'arbre.*) Seul l'arbre vit.

ESTRAGON (*regardant l'arbre*).—Qu'est-ce que c'est?

VLADIMIR.—C'est l'arbre.

ESTRAGON.—Non, mais quel genre?   25

VLADIMIR.—Je ne sais pas. Un saule.

ESTRAGON.—Viens voir. (*Il entraîne Vladimir vers
l'arbre. Ils s'immobilisent devant. Silence.*) Et si on se
pendait?

VLADIMIR.—Avec quoi?   30

ESTRAGON.—Tu n'as pas un bout de corde?

VLADIMIR.—Non.

ESTRAGON.—Alors on ne peut pas.

VLADIMIR.—Allons-nous-en.

ESTRAGON.—Attends, il y a ma ceinture.   35

330. Et . . . tomber? And if we dropped him?

VLADIMIR.—C'est trop court.

ESTRAGON.—Tu tireras sur mes jambes.

VLADIMIR.—Et qui tirera sur les miennes?

ESTRAGON.—C'est vrai.

VLADIMIR.—Fais voir quand même. (*Estragon dénoue* [5] *sa corde qui maintient son pantalon. Celui-ci, beaucoup trop large, lui tombe autour des chevilles. Ils regardent la corde.*) A la rigueur[331] ça pourrait aller. Mais est-elle solide?

ESTRAGON.—On va voir. Tiens. [10]

Ils prennent chacun un bout de la corde et tirent. La corde se casse. Ils manquent de tomber.

VLADIMIR.—Elle ne vaut rien.

Silence.

ESTRAGON.—Tu dis qu'il faut revenir demain? [15]

VLADIMIR.—Oui.

ESTRAGON.—Alors on apportera une bonne corde.

VLADIMIR.—C'est ça.

Silence.

ESTRAGON.—Didi. [20]

VLADIMIR.—Oui.

ESTRAGON.—Je ne peux plus continuer comme ça.

VLADIMIR.—On dit ça.

ESTRAGON.—Si on se quittait? Ça irait peut-être mieux.

VLADIMIR.—On se pendra demain. (*Un temps.*) A moins [25] que Godot ne vienne.

ESTRAGON.—Et s'il vient.

VLADIMIR.—Nous serons sauvés.

Vladimir enlève son chapeau—celui de Lucky—regarde dedans, y passe la main, le secoue, le remet. [30]

ESTRAGON.—Alors on y va?

VLADIMIR.—Relève ton pantalon.

ESTRAGON.—Comment?

VLADIMIR.—Relève ton pantalon.

ESTRAGON.—Que j'enlève mon pantalon? [35]

331. **A la rigueur** in a pinch.

VLADIMIR.—RE-lève ton pantalon.
ESTRAGON.—C'est vrai.

> *Il relève son pantalon. Silence.*

VLADIMIR.—Alors on y va?
ESTRAGON.—Allons-y.   5

> *Ils ne bougent pas.*

RIDEAU

SELECTIVE BIBLIOGRAPHY

Esslin, Martin, *The Theatre of the Absurd,* Garden City, Doubleday, 1961.

Grossvogel, David, *Four Playwrights and a Postscript,* Ithaca, Cornell University Press, 1962.

Guicharnaud, Jacques, *Modern French Theater from Giraudoux to Beckett,* New Haven, Yale University Press, 1961.

Hoffmann, Fredcrick, *Samuel Beckett, The Language of Self,* Southern Illinois Press, 1962.

Kenner, Hugh, *Samuel Beckett: a Critical Study,* New York, Grove Press, 1961.

Pronko, Leonard, *Avant-Garde: The Experimental Theater in France,* Berkeley, University of California Press, 1962.

VOCABULARY

Omitted from this vocabulary are approximately the first 2,000 words of the *Word Frequency Dictionary* (compiled by Helen S. Eaton, New York, Dover Publications, 1961) and most close cognates. Only the meanings found in the text are given.

A

abandonner   to give up
s'abriter   to take cover
accablement   *m.* dejection
accabler   to overwhelm, to tire out
accord, être d'—— to agree
accoucher   to give birth
accru   increased
s'acharner sur   to work unceasingly at something, to struggle with
affection *f.*, **prendre en ——** to become attached to
affirmer   to maintain, to assert
affolé   panic-stricken
affolement *m.*   panic

afin que   in order to, in order that
agacer   to annoy
s'agripper   to cling, to clutch
aise *f.*   ease; **se mettre à son —— to make oneself comfortable**
aller   to go, to fit
allonger   to stretch out
andouillette *f.*   small sausage
s'apaiser   to subside, to grow calm
apitoyer   to move (*to pity*), to mollify
s'apprêter   to prepare
arbrisseau *m.*   shrubby tree
arbuste *m.*   bush
archibondé   chock-full, crammed

arête *f.* fishbone
argenté silvery
arpenter to pace
arracher to pull out, to draw
arriver to happen, to succeed (*in doing something*)
aspirer to breathe, to inhale
assouplissement *m.* limbering-up
attendant, en ——— meanwhile, in the meantime
attendrir to soften (*someone's heart*), to touch
s'aventurer to venture
aveugle blind
avidité *f.* greed; avec ——— greedily
auditoire *m.* audience
aurore *f.* dawn

B

bafouiller to stutter, to stammer
baisser to grow dim
se ballader to stroll, to saunter
ballant dangling
bas low, in an undertone
bataille *f.* battle; se livrer une ——— to struggle with oneself
baver to slobber
bazarder to sell off, to throw away
bêtise *f.* nonsense
blanc white; voix blanche toneless voice
boiter to limp
boitiller to hobble
bon, à quoi ——— what's the use

bond *m.* bound, leap; d'un ——— at one bound
bondir to jump, to caper
bonhomme *m.* man, fellow
bordel *m.* brothel
bouchée *f.* mouthful
bouger to move, to budge
bourrer to fill (*pipe*)
bousculer to jostle
bout *m.* bit, piece, end, butt
brandir to wave
branle *m.* impetus; mettre en ——— to set in motion
brebis *f.* sheep, lamb
bref short, in short
broncher to budge, to stir
bruire to rustle
brune, une ——— a brunette
bruyamment noisily

C

calcul *m.* scheme
câlin caressing, winning
cauchemar *m.* nightmare
ceinture *f.* belt
celui-ci the latter
celui-là the former
cendre *f.* ash
cerné surrounded
chanceler to stagger, to totter, to reel
charge *f.* burden
chargement *m.* load
charnier *m.* charnel house
charogne *f.* carrion
chaussure *f.* shoe
cheminer to journey
chevelure *f.* hair
cheville *f.* ankle
chèvre *f.* goat
chic nice
chuchoter to whisper
chute *f.* fall

claquer, faire ——— to crack
commodément easily
compartiment *m.* compartment
compte en banque bank account
confondre to confuse
congénères *m. pl.* brethren
convenable proper, decent
corde *f.* rope
correction *f.* beating
côté *m.* side; **d'un autre ——** on the other hand
couchant *m.* sunset
coude *m.* elbow
coupable guilty
couper to cut; **—— la parole** to interrupt
cours *m.* course, flow
course *f.* running
cracher, to spit
craintivement timidly
crapule *f.* scoundrel
crépuscule, *m.* twilight
crispé contorted, screwed up

D

darder to point
se débarrasser de to get rid of
se débattre to struggle
déboucher to emerge
se déchausser to take off one's shoes
déchet *m.* waste
déchirant heart-rending, harrowing
décision *f.* decision; **avec —— resolutely**
décomposé drawn, distorted
décocher to let fly; **—— un coup de pied** to kick

se décourager to lose heart
se dégager to pull oneself free
dégoûtant disgusting
délassement *m.* relaxation
délire *m.* delirium
dénouer to loosen, to untie, to unravel
se déranger to move, to take the trouble
déshabillé naked
désolé grieved
destin *m.* fate; Fortune
détente *f.* easing (*of situation, atmosphere*)
diriger to drive (*a horse, a car*); **se —— vers to move toward**
se dissiper to vanish
distraction *f.* recreation
distraire to amuse, to entertain
distraitement absent-mindedly
dommage too bad!

E

ébranler to shake
écarté apart, spread apart
éclat *m.* brilliance
écoute *f.* listening
écran *m.* screen
écumer to foam
s'effondrer to collapse
élan, avec ——— fervently
s'élancer to dash
s'empêtrer to become entangled
emphase *f.* bombast
emportement *m.* transport (*of anger*); **avec ——— heatedly**
s'empresser to hasten

énergumène *m.* lunatic
enfer *m.* hell
enfin at last, at any rate
enfler to swell
engueuler to bawl out
s'enhardir to grow bold
s'enivrer to get drunk
s'ennuyer to be bored
ensevelir to bury
s'ensuivre to follow, to ensue
enterrer to bury
entraînement *m.* practice
envie *f.* desire
épier to spy
épouvanter to frighten
équilibre *m.* balance
équitation *f.* horseback riding
ère *f.* era, epoch
ergoter to quibble
essouflé out of breath
essuyer to wipe off
s'éteindre to fade away, to vanish
étendue *f.* extension
étrangler to choke, to strangle
étreinte *f.* embrace
s'exalter to grow enthusiastic, excited
excédé exasperated
exemple *f.*, par ——— upon my word!
expérience *f.* experiment
exprès on purpose

F

se fâcher to get angry
faiblir to weaken; sans ——— tirelessly
fane *f.* leaf
fardeau *m.* load, burden

fatal inevitable
fébrilement feverishly
fendre to split, to crack
ferme but good; for sure
fêter to celebrate
ficelle *f.* string
fièrement proudly
se figer to congeal, to set (*smile*); figé rigid
fixer to stare at
flancher to weaken
flèche *f.* arrow
foi *f.* faith; ma ——— by golly!
foin *m.* hay
fond *m.* bottom, core, substance
fonds *m. pl.* deeps
force, à ——— de by dint of
forcément necessarily, of necessity
formidable tremendous
fossé *m.* ditch
fossoyeur *m.* gravedigger
fouet *m.* whip
fouiller to dig, to search
fourrer to stuff, to cram
frissonner to shiver
froisser to offend
frôler to touch, to brush against
frotter to rub
fumeur *m.* smoker
fumier *m.* manure, dungheap

G

galoper to gallop, to charge
gazon lawn, turf
gémir to groan
gémissement *m.* groan(ing), moan(ing)
gêné embarrassed

genre *m.* kind
gentil nice
glisser to slide
gousset *m.* waistcoat pocket
gratter to scratch
grenier *m.* attic, loft
guet *m.* watch (*sentry*)

H

haillon *m.* rag (*of clothing*)
halètement *m.* panting
haleter to pant
hein huh?
heure *f.* hour; tout à l'———
in a minute; à la bonne
——— well done! that's
right!
honte *f.* shame
honteusement shamefacedly
honteux shameful
hurler to howl

I

s'immobiliser to come to a
standstill
immuable immutable, un-
changing
impitoyable merciless
impressionner to impress, to
move
imprudence *f.*, commettre une
——— to do something
rash
inachevé unfinished
incontestable undeniable
inconvénient *m.* inconven-
ience
infatigable tireless
injure *f.* insult
inoubliable unforgettable
inquiétant disquieting
inquiétude, avec ——— anx-
iously

inscrire to inscribe, to en-
grave
insensé mad, insane
insolite unusual

J

jouer to play; faire ———
to set in motion
jusqu'à ce que until
juste just, right; au ———
exactly
justement precisely, exactly

L

lâcher to loose, to let go, to
drop
lacet *m.* lace (*shoe*)
laisser-aller *m.* slovenliness
larron *m.* thief
las weary
se lever to get up
liaison *f.* linking (*for ex-
ample*, pas encore *pro-
nounced* pazencore)
livrer *see bataille*
louche *f.* ladle
lune de miel honeymoon
lunettes *f. pl.* glasses

M

mâcher to chew
maigrir to lose weight, to
waste
se maîtriser to control oneself
manche *f.* sleeve
mandragore *f.* mandrake
manège fiddling, activity
même same; de ———
likewise
mendiant *m.* beggar

mensonge *m.* lie

mettre to put, to put on; se —— à to start

miette *f.* smithereen

mimer to mimic

mimique *f.* dumb show, mimicry

moins, à —— que unless

montre *f.* watch

mordre to bite

morne gloomy

mot, bon —— witticism

moue *f.* pout; faire la —— to make a wry face

muet dumb

N

natation *f.* swimming

navet *m.* turnip

netteté *f.* clearness, distinctness

nœud *m.* knot

noter to jot down, to make a note of

O

œil, jeter un coup d'—— to glance at

office *f.* pantry

orienter to direct, to guide, to take bearings

orteil *m.* toe

os *m.* bone

ossements *m. pl.* bones

outré scandalized, outraged

P

palier *m.* stage, degree; par paliers by stages

pâlir to grow pale

panier *m.* basket; —— à provisions picnic basket

parole *f.*, couper la —— to interrupt

partager to divide, to share

parvenir à to succeed in

passable tolerable, fair

passant *m.* passerby

patienter to exercise patience; to bide one's time

patinage *m.* skating

peiné hurt

péniblement painfully, with difficulty

péter to fart

pétrin *m.* (*slang*) mess

piquer to sting; —— au vif to sting to the quick

pis worse; tant —— so much the worse

plaindre to pity

pleurs *m. pl.* tears

pliant *m.* folding stool

ployer to sag

poignée *f.* handle

porte, mettre quelqu'un à la —— to kick someone out

posément calmly

pourcentage *m.* percentage

pourrir to rot, to go to waste

pousser to grow

pratique *f.* practice

précipitamment suddenly, abruptly

précipité hasty, hurried

promener sa main sur quelque chose to run one's hand over something

se prononcer to make a decision

provision *f.* provision, stock; panier à provisions, picnic basket

puer to stink

pugiliste *m.* boxer
pus *m.* pus

Q

quelconque so-so; poor

R

se raccomoder to make up
râcler to clear (*throat*)
raide stiff
ramper to crawl
rapetisser to shrink, to make smaller
rasade *f.* glassful
se rasseoir to sit down again
ravi delighted
rebrousser to turn up; ——— chemin to retrace one's steps, to turn back
se réchauffer to keep warm
se recueillir to collect oneself, one's thoughts
redresser set aright, straighten out; se ——— to straighten out, to lift (*head*)
registre *m.* account book
réinstallé settled down again
relever to lift, to pull up; se ——— to straighten out, to get up again
rendre to give back, to give out, to make (*sound*)
renfort *m.* reinforcements
renifler to sniff
renouveller to renew
renseigner to inform
reprendre to resume, to take back, to take again; se ——— to recover oneself, to catch oneself
réprimer to repress

résoudre *p.p., résolu* to resolve
se resserrer autour to close around
ressortir to stand out, to become evident
restant *m.* remainder
se restaurer to refresh oneself
retard, se mettre en ——— to fall behind schedule
retentir to resound, to ring
retirer to draw out
rétrécir to contract, to shrink
rêveusement dreamily
rire *m.* laughter; partir d'un bon ——— to burst out into hearty laugh
ronger to gnaw
roseau *m.* reed
une rousse a redhead

S

saigner to bleed
salaud *m. An insulting term, the equivalent of "bastard"*
saleté *f.* dirt, rubbish
saloperie *f.* rubbish, muckheap
sapin *m.* fir, pine
saule *m.* willow
se sauver to run off, to escape
Sauveur *m.* Savior
scier to saw
scruter to scan
sécher to dry
semblable *m.* fellow man, (*one's*) like
semblant, faire ——— to pretend
serrer to close in (*on someone*)

servir à   to be of use
siège pliant *m.*   folding stool
siffler   to whistle
sinon   otherwise, else, if not
soigneusement   carefully
sombrer   to founder
somnoler   to doze off
sorte, de ———— que   so that
soulagement *m.*   relief
soulager   to relieve
soupirer   to sigh
sourdine *f.*   deadener
sous-sol *m.*   subsoil
soutenu   sustained,   unflagging
spectacle *m.*   show
squelettique   skeleton-like, bare
subitement   suddenly
sucer   to suck
sucré   sweet
suinter   to ooze
suite, ainsi de ———— so on
suppliant *m.*   supplicant
supplique *f.*   petition
sursauter   to give a start

T

tabler sur   to count on
taillis *m.*   thicket
tandis que   while, whereas
taper   to knock, to tap, to pat
tas *m.*   heap
se tasser   to huddle together
tendre   to extend, to hold out; se ———— to tauten
tenir, savoir à quoi s'en ————
to know what to expect, believe

terre battue *f.*   clay (*tennis court*)
têtu   stubborn
tibias *m. pl.*   shins
tirer   to puff at, to pull
tituber   to reel, to stagger
tombée *f.*   fall
se tordre   to writhe
tour à tour   in turn
tourbière *f.*   bog
tousser   to cough
tranchant   peremptory
traverser   to cross
trébucher   to stumble
tressaillir   to give a start, to quiver
se tromper   to be wrong, to make a mistake
turbin *m.*   (*slang*) work

V

valise *f.*   bag
vaporisateur *m.*   vaporizer
vaporiser   to spray
vendange *f.*   grape-harvest
venger   avenge;   se ————
to take revenge
ventre *m.*   belly
verdâtre   greenish
veston *m.*   coat
vider   to empty
vif   alive, living; piquer au
———— to sting to the quick
viser   to direct at, allude to
vivement   briskly
voile *m.*   veil
voleur *m.*   thief
volupté *f.*   sensual pleasure or delight